COSMIC POWER®

Gestão Corpo-mente-vida
Tornar-se inteiro, ser inteiro

Sophie Hellinger

COSMIC POWER®

Gestão Corpo-mente-vida
Tornar-se inteiro, ser inteiro

2ª edição

(t.) TAGORE EDITORA

2ª edição - 2025

Título original
Cosmic Power: Geist-Körper-Lebensmanagement
Ganz werden, ganz sein

Ficha técnica

Programação visual
Victor Tagore

Tradução do alemão
Rosimar Rosário
Lucas Shimoda

Revisão do alemão
Jürgen Volker Dittberner

Revisão técnica
Ludmila Guimarães

DADOS INTERNACIONAIS DE CATALOGAÇÃO NA PUBLICAÇÃO (CIP)

H477c Hellinger, Sophie.

Cosmic Power : gestão mente-corpo-vida. Tornar-se inteiro, ser inteiro / Sophie Hellinger ; Tradução : Rosimar Rosário, Lucas Shimoda. – 2. ed. – Brasília : Tagore, 2025. – 264p. : il. (algumas color.). – Título original: Cosmic Power : Geist-Körper--Lebensmanagement. Ganz werden, ganz sein – ISB: 978-65-5281-020-5

1. Constelação Familiar 2. Psicoterapia. 3. Terapia familiar. I. Rosário, Rosimar, *trad.* II. Shimoda, Lucas, *trad.* III. Título

CDU 159.955

Catalogação na publicação: Helga Cavalcante de Oliveira CRB 1/2278

Contato com a Hellinger Sciencia
brasil@hellinger.com

Composto e impresso no Brasil. *Printed in Brazil.*

TAGORE EDITORA
SIG Q. 8 lote 2345, sala 100 | CEP: 70.610-480, Brasília, DF
www.tagoreeditora.com.br

Sumário

Prefácio por Bert Hellinger

Quando eu voltei, em 1999, de uma viagem a São Francisco, tive, pela milésima vez, uma otite forte. O líquido vazava da orelha e eu estava quase surdo. Sophie me ofereceu uma imposição de mãos. Por educação, não recusei. Eu também disse a ela que iria, mesmo assim, a uma consulta com o otorrinolaringologista dali a dois dias. Ela disse que a consulta era importante para mim e que a imposição de mãos não faria nenhum mal. Fiquei cético. Dito e feito.

Quando, no final dos anos 1990, conheci Sophie, a mulher que viria a ser minha esposa, fiquei muito impressionado com seu carisma e seu vasto conhecimento acerca de métodos alternativos de cura e de técnicas energéticas. Ela tinha feito especializações nessas áreas em diversos lugares do mundo. Naquela época, eu ainda praticava a Constelação Familiar Clássica.

No entanto, sentia que essa forma de Constelação Familiar tinha chegado a um limite e que necessitava de mais desenvolvimento, precisava evoluir. Mas, até então, eu não sabia qual rumo tomar para efetuar tais mudanças. Sophie, por sua vez, tinha percebido que as informações armazenadas no campo de informação, que se revelavam na constelação, precisavam de mais espaço e mais tempo para seu desdobramento. Ela – como mulher e mãe – tinha passado por experiências na área energética que eram desconhecidas para mim, como homem.

Já antes de nosso casamento, eu passei a incluir Sophie cada vez mais em meus trabalhos. Depois, até mais que isso. Eu percebi que ela estava entrando em uma esfera mais espiritual, que ainda não se revelava para mim. Por isso, deixei Sophie assumir a condução em algumas áreas e eu a segui. O resultado tornou-se rapidamente visível com a "constelação espiritual" que, então, evoluiu, com o passar do tempo, para Familienstellen Original Hellinger® de hoje.

Ocorre, na maior parte, sem palavras, no entanto, alcançando uma profundidade sem precedentes. Qual foi o fator que desencadeou isso? Foi a inclusão de Cosmic Power®. Embora, no começo, eu estivesse cético quanto a isso, minhas experiências pessoais posteriores provaram-me o contrário.

Uma vizinha que ficou cuidando da minha casa, durante a minha ausência, disse como é bom que existam médicos. Eu perguntei o que ela queria dizer com isso e ela me explicou que o que quis dizer era que, no dia anterior, ela tinha falado comigo em um tom de voz muito alto, mas que eu não tinha ouvido nem entendido nada. Hoje, porém, ela estava falando em tom normal e eu estava ouvindo e entendendo tudo. De repente, notei que minha dor tinha desaparecido. Somente naquele momento, dei-me conta de que eu nem tinha ido ao médico ainda e, tampouco, tomado qualquer medicamento.

Apesar disso, eu estava ouvindo totalmente normal de novo e meu ouvido estava seco. No dia seguinte, quando fui à consulta, o médico não detectou nenhum sinal de otite. O diagnóstico surpreendeu-me porque, até então, eu sempre sofria com as inflamações mais frequentes por até duas semanas, após uma viagem. Depois de cada inflamação, minha audição se deteriorava de modo que eu precisava usar um aparelho auditivo à época.

Eu telefonei para Sophie e perguntei se ela já tinha ouvido alguma coisa a respeito disso antes. Para ela, não era nenhuma surpresa, mas para mim, era como um milagre. E mais: daquele dia em diante, mesmo fazendo muitas viagens de avião, nunca mais tive crises de otite média. Antigamente, isso era de praxe. Teria esse ponto fraco se regenerado com uma única imposição de mãos? O que foi ainda mais surpreendente para mim foi que, na época, eu usava óculos com aparelho auditivo acoplado. Um ano e meio depois, eu já não precisava do aparelho auditivo e, dois anos depois, nem dos óculos.

Com os exercícios de respiração e movimento, meditação e imposição das mãos que Sophie me apresentou e que, há anos, eu passei a praticar diariamente, logo percebi como meu estado físico geral melhorou. Àquela época, eu tinha certeza de que minha vida estaria acabada em poucos anos e, agora, ainda estou aqui. Além disso, minha consciência expandiu-se de uma maneira surpreendente e minha percepção também. Hoje, tenho um outro foco.

Desde então, não deixo nenhum dia passar em branco. Na cama, pela manhã, meu dia já começa com movimentos e meditação Cosmic Power® e, também, com eles, encerra-se à noite. Hoje, posso dizer: com Cosmic Power® e com o apoio de Sophie, em muitas novas áreas, eu me sinto como se tivesse nascido de novo. E para a Constelação Familiar começou também uma nova era. Para mim e para a minha vida, Cosmic Power® tornou-se a base real da Constelação Familiar e, também, para minhas jornadas interiores. Essas podem ser lidas no livro homônimo ou escutadas em CD ou MP3. Familienstellen Original Hellinger® é, hoje, o resultado disso.

O que isso significa para o constelador? Em minha experiência, sem o envolvimento, a aplicação e a presença de Cosmic Power®, o constelador não conseguirá ou dificilmente será capaz de conduzir uma constelação familiar em sua plena profundidade. O que isso significa para o cliente? Que, até agora, uma constelação tocava frequentemente, apenas na superfície, muitos problemas relatados pelos clientes. Porém, a profundidade total, a raiz do problema, permanecia intocada, na maioria das vezes. Em uma constelação de Familienstellen Original Hellinger®, que inclui Cosmic Power®, tanto o constelador quanto o cliente conectam-se com o campo espiritual universal subjacente. Com a postura adequada, o constelador mantém-se assim também. Qual é a postura considerada adequada? Em primeiro lugar, presença, escuta, sem escutar o que foi dito pelo cliente. Trata-se de uma escuta interior. O conhecimento vem dali, uma consciência bem especial emerge no Constelador. Fui longe demais com essa afirmação?

Com base em minha experiência bem pessoal, posso dizer que não. Experienciei centenas de vezes que, como consequência, fica uma nova percepção que conduz a uma profunda calma interna, melhor saúde, serenidade e maior sucesso. Contanto que fiquemos conectados com essa presença interna absoluta, o foco permanece.

Já desde 2004, eu vinha recorrentemente sugerindo à minha esposa Sophie escrever um livro sobre Cosmic Power®, a fim de registrar e, também, de compartilhar suas descobertas com outras pessoas interessadas, para o bem de todos. Mas Sophie não queria saber de nada disso. Ela não poderia ser persuadida a fazer isso. Essa tarefa e responsabilidade pareciam grandes demais para ela. No entanto, eu esperava que, algum dia, ela atendesse ao meu pedido. Dessa maneira, cada vez mais pessoas, assim como eu, poderiam se beneficiar desse método maravilhoso. Eu gostaria, ainda, de ressaltar que nunca perdi um único curso de Cosmic Power® ministrado por Sophie.

Com isso em mente, estou dando à minha esposa, Sophie, um prefácio para seu livro sobre Cosmic Power®, que eu espero que seja publicado em breve. Para ela, este prefácio deve ser, ao mesmo tempo, um encorajamento e agradecimento da minha parte. Estou convencido de que, sem ela e sem Cosmic Power®, eu não teria vivido por muito mais tempo.

Eu não sei se vivenciarei a publicação do livro de Sophie sobre Cosmic Power®. Mas hoje, digo-lhe mais uma vez, querida Sophie: tenha coragem! Você consegue! Muitas pessoas ao redor do mundo estão esperando por isso, porque precisam. Mesmo que eu, possivelmente, não esteja mais ao seu lado, no mundo físico, quando seu livro for publicado, tenha a certeza de que eu estarei lhe apoiando de outra dimensão e sempre estarei com você, em nosso campo conjunto. Você mesma sabe melhor como Cosmic Power® carrega e sustenta.

Setembro de 2015

Prefácio sobre o termo Familienstellen como termo técnico internacional e Cosmic Power®

Com sua constelação familiar, meu falecido marido, Bert Hellinger, criou uma área completamente nova, dentro da psicoterapia do final do século 20 e início do atual século 21, a qual ele continuou desenvolvendo, com minha participação e inclusão de Cosmic Power®: Familienstellen Original Hellinger®. Esse não é um método psicoterapêutico, mas um auxílio à vida, na sua mais pura forma, que pode abrir caminho para uma vida realizada e feliz para todos. Familienstellen Original Hellinger® começou a ter uma demanda tão alta em todo o mundo que a Hellinger®schule (Escola Hellinger®) mal consegue atendê-la utilizando a Hellinger® sciencia. No entanto, a afirmação de pessoas, especialmente dos países de língua não alemã, de que a constelação familiar não foi desenvolvida por Bert Hellinger, demanda uma explicação. Qual é o pano de fundo dessa afirmação?

Essa afirmação baseia-se na tradução literal e incorreta do termo "*Familienaufstellung*" para o termo internacionalmente utilizado "constelação familiar"/"*family constellation*", que traduz um outro termo alemão, "*Familienkonstellation*". O próprio Sigmund Freud, mas especialmente Carl Gustav Jung e Alfred Adler, enfatizaram a importância da família para o indivíduo: o pensamento, a atuação e o sentimento de cada membro da família afetam o sentimento dos outros. Para isso, foi estabelecido o termo alemão *Familienkonstellation* (em português "constelação familiar"). Desde a década de 1920, esse termo tem sido utilizado de forma não específica, em alemão, para descrever os efeitos psicológicos e comportamentais dos membros da família entre si. Sem conhecer bem o fundo por trás disso.

Em 1965, o psicólogo austríaco Walter Toman finalmente publicou seu livro *Familienkonstellationen: Ihr Einfluss auf den Menschen*, em tradução literal, *Constelações Familiares: sua influência sobre as pessoas*. Portanto, esse termo – *Familienkonstellation* - já estava firmemente estabelecido muito antes do trabalho de Bert Hellinger com *Familienstellen*. Dessa forma, *Family Constellation* / "constelação familiar" não devia ser usado como tradução para Familienstellen Original Hellinger® de Bert Hellinger, pelo fato de *Familienkonstellation* não ter nada a ver com a "constelação familiar" desenvolvida por ele posteriormente. Isso porque, na época da criação do termo *Familienkonstellation* e de sua tradução "constelação familiar", *Familienstellen*, como conhecemos hoje, não existia de forma alguma.

É claro que Familienstellen não "caiu do céu" repentinamente, mas, como tudo o que é novo, baseia-se em algo que veio antes. Como os psicoterapeutas ficaram entediados e não pareciam ter sucesso suficiente, quando seus pacientes estavam deitados no divã, eles começaram a experimentar várias novas abordagens. É por isso que, décadas antes da inovação de Bert Hellinger, o conceito de representantes já existia em algumas outras "escolas". Isso se aplica, por exemplo, ao psicodrama fundado por Jacob Moreno ou à escultura familiar de Virginia Satir. No caso da escultura familiar, o terapeuta dá ao cliente uma certa postura corporal ou linha de visão, na qual ou com a qual ele deve ter uma nova experiência.

No psicodrama, o terapeuta e o cliente dão certas diretrizes para os representantes – semelhantes a uma descrição de papeis no teatro. Estes são, então, reproduzidos, até que uma possível solução seja encontrada. Isso pode levar horas. Obviamente, essa não era a constelação familiar atualmente conhecida como Familienstellen segundo Hellinger®, mas sim, uma outra forma de terapia familiar.

Bert Hellinger não estipulava nada aos representantes nem os pedia para fazer nada. Pelo contrário, em Familienstellen Original Hellinger®, o constelador se detém completamente.. Ele é agente e permanece em segundo plano, como um observador muito atento. Sua abordagem é absolutamente fenomenológica. Ele sente uma conexão especial e contida com o que está acontecendo à sua frente e permanece um observador precisamente minucioso. A nova compreensão alcançada com isso leva adiante, a um novo movimento.

A diferença decisiva entre Familienstellen Original Hellinger® e todos os outros métodos que utilizam o termo constelação familiar é a seguinte: embora se pudesse observar uma mudança nos sentimentos dos representantes, não se sabia que leis invisíveis determinavam essas dinâmicas e levavam o representante a praticar certos movimentos ou a ter determinados sentimentos. Assim, uma solução para os problemas psíquicos era, portanto, impossível. Só se via um efeito, mas não se conhecia a causa.

A abordagem de Bert Hellinger, por outro lado, foi algo completamente novo e único que ninguém conhecia até então. Por meio de anos de observação fenomenológica dessa dinâmica, ele descobriu os princípios básicos da vida. Estes obedecem e estão sujeitos a ordens muito específicas, que Bert Hellinger resumiu como as "Ordens do Amor". Elas não são intercambiáveis nem podem ser interpretadas arbitrariamente.

Ninguém pode escapar dessas ordens. Elas também não são regidas por nossos pensamentos, nossos desejos e nossa vontade. Parece que essas ordens nos são dadas como leis férreas. Só por essa razão, já é benéfico e útil para qualquer ser humano, independentemente da cultura, da cor da pele e da religião, conhecer as Ordens do Amor, para não violá-las, constantemente, por falta de conhecimento do que, a longo prazo, sabota ou boicota o próprio sucesso.

Menciono, aqui, mais uma vez, as três Ordens do Amor:

A primeira Ordem do Amor: o igual direito de pertencer. Todos os que pertencem ou pertenceram a uma família têm o mesmo direito de pertencer. Assim que um membro da família tem seu direito de pertencimento negado ou retirado, surge uma desordem, com consequências abrangentes para o sistema como um todo.

A segunda Ordem do Amor: ordem hierárquica. Cada um deve tomar seu lugar na sua família, um lugar que é somente seu e de ninguém mais. Dessa forma, há os que vieram primeiro e, portanto, ocupam uma posição superior, e aqueles que vieram depois e, por isso, ocupam uma posição inferior em relação aos que vieram antes. A ordem hierárquica é determinada pelo tempo de pertencimento. Isso se dá de forma diferente quando se trata da prioridade entre diferentes sistemas.

A terceira Ordem do Amor: o equilíbrio entre dar e tomar. Essa ordem nos é dada por nossa consciência moral. Quando tomamos ou recebemos algo de alguém, sentimo-nos obrigados a equilibrar isso de maneira equivalente. Somente assim nos sentiremos bem e livres novamente. No entanto, deve haver um equilíbrio não só no que é bom, mas também no que é ruim. Essa ordem é a mais incompreendida e ela é interpretada e aplicada com critérios completamente equivocados.

Mas antes que Bert Hellinger pudesse descobrir as Ordens do Amor, ele passou sete anos expondo-se, intensamente, aos efeitos da consciência moral. Os efeitos dessa consciência moral afetam todas as pessoas que pertencem a um determinado grupo. Essa consciência moral não tem nada a ver com ética ou valores superiores, apenas tem a função de manter um grupo unido, para garantir sua sobrevivência, agindo como um órgão do equilíbrio.

Se uma ou mais pessoas foram esquecidas, condenadas, demonizadas ou excluídas da família, o sistema familiar seleciona, pelo menos, um dos descendentes para viver o destino daquela(s) pessoa(s) excluída(s). Isso é chamado de emaranhamento. Por meio de uma constelação, esses emaranhamentos vêm à tona e as pessoas podem ser libertadas dessas obrigações de consciência moral, sem medo de serem excluídas do sistema familiar. O amor e a dor subjacentes tornam-se visíveis, reconhecidos e curados. As consequências de uma ofensa contra a consciência moral do clã são arrepiantes e tão onerosas quanto aquelas contra as Ordens do Amor.

Ao descobrir as Ordens do Amor e o efeito da consciência moral do clã, Bert Hellinger conseguiu utilizar suas constelações para descobrir e dissolver dinâmicas que sobrecarregam e causam doenças nas famílias. Essa é sua conquista pioneira, superando, em muito, tudo o que já tinha existido e sido visto e pensado anteriormente; pois essas leis eram, até então, desconhecidas. Bert Hellinger captou a conexão entre as leis individuais e criou a atual Constelação Familiar segundo Hellinger. Ela serve às pessoas, ajuda-as e leva-as adiante, a uma vida aberta e livre.

As constelações geram um campo energético de informação para todos os presentes, sejam eles observadores ou representantes. Esse campo energético manifesta-se de forma mental, emocional e física. Em todos esses níveis, a constelação continua a ter efeito por dez anos ou mais e leva a soluções e ações. Isso significa: as constelações Familienstellen Original Hellinger® independem de tempo e espaço. Tudo o que já existiu e não foi resolvido vem à tona.

Envolver-se plenamente nesses movimentos não é fácil e, muitas vezes, exige o máximo, com o resultado de, finalmente, ser a pessoa que reconhece e vive o sentido e o propósito da sua própria vida. Essa pessoa não é mais um joguete do sistema e dos emaranhamentos de épocas anteriores, seja devido à história da família ou devido às consequências da sua própria vida passada. Familienstellen Original Hellinger® revela isso de uma forma surpreendente. Não se trata de avaliações ou julgamentos, mas sim de soluções para que todo o sistema encontre paz. Nesse sentido, Familienstellen Original Hellinger® é, também, um trabalho de paz mundial. Muitas pessoas utilizam esse instrumento, uma vez que conhecimento é poder, para mudar as suas próprias vidas.

A fim de evitar mal-entendidos causados pela tradução do termo *Familienstellen* e de evitar confusão com métodos psicoterapêuticos anteriores, decidi introduzir e manter a palavra *Familienstellen*, sem tradução em todas as línguas, como um termo técnico para Familienstellen Original Hellinger®, sempre incluindo Cosmic Power® – análogo à *Gestalt*-Therapie (Gestalt-terapia, terapia Gestalt) de Fritz Perls.

I

Como eu descobri Cosmic Power®

Durante décadas, estive procurando pelo mundo afora, mas não conseguia definir exatamente o que eu realmente estava buscando. Algo em mim clamava por mais e eu tinha urgência em satisfazer essa fome.

Em retrospectiva, hoje eu definiria isso da seguinte maneira: eu queria sentir MAIS, simplesmente MAIS. Mais sobre minha força, sobre alegria plena, sobre minha consciência plena e sobre o amplo desenvolvimento do meu potencial anímico inconsciente. É difícil descrever. Era uma inquietação interior insaciável.

Expresso de forma simples: eu queria mais do que aquilo que tinha. Sentir e vivenciar muito mais. Durante a minha longa busca, vi muita coisa, vivenciei muito e, como resultado de tudo isso, aprendi bastante. Contudo, ainda permanecia em mim um imenso desejo, um anseio indefinível.

Eu sentia claramente que existia algo fora de mim que queria ser integrado e me chamava incessantemente. Olhando em retrospectiva, eu sentia em mim algo indescritível que me impulsionava para a frente e, ao mesmo tempo, muito me afligia internamente.

Talvez minha personalidade estivesse querendo revelar o que estava escondido no meu interior mais profundo. Finalmente, o sentido e o objetivo da minha vida deveriam se tornar conscientes e animados.

Essa fome interior levava-me a participar de inúmeros cursos pelo mundo afora, mas a fome interior e o chamado interno só ficavam cada vez mais fortes e intensos. No máximo, dois a três por cento do que era apresentado representavam informações novas, aplicáveis e relevantes para mim. Considerando o conjunto, três por cento de conhecimento novo é muita coisa, mas para mim era claramente muito pouco. Esse impulso interno tornava-se, até mesmo, doloroso. Eu estava ficando cada vez mais inquieta. Tudo estava se desenrolando devagar demais para mim. Isso era realmente excruciante.

Em todos aqueles anos de busca, eu experimentei muitas coisas, mas o que eu tanto ansiava ainda não tinha se concretizado. Em algum momento, depois de muitos anos, percebi que já estava farta de todas aquelas ofertas e promessas e decidi não participar mais dos tão promissores seminários – para a alegria do meu então marido. Por essas razões, entreguei às forças da minha alma, essa busca insaciável, que me consumia. Eu estava farta de procurar. Eu já tinha feito coisas demais, passado tanto tempo fazendo isso e, acima de tudo, eu estava inexplicavelmente cansada e desapontada, sobretudo, desapontada comigo mesma. Então, decidi simplesmente organizar minha vida diária de forma que eu pudesse reencontrar dentro de mim, por meio da minha presença, a paz que eu precisava.

Eu sentia que ainda não tinha encontrado o que eu estava procurando. Para ser honesta, eu ainda não sabia exatamente o que eu estava procurando. Demorou muito tempo para que eu percebesse isso: eu estava sempre procurando por algo que pudesse me surpreender. Algo grande, indescritível. Algo que eu não podia conceber. Simplesmente algo novo! Mas, em vez da abundância esperada, ocorreu-me, em pouquíssimo tempo, o oposto, um vazio abismal. Não consigo expressar com palavras esse meu sentimento.

Então, tomei a seguinte decisão. Comecei a executar os menores trabalhos que, outrora, seriam feitos pela nossa faxineira. De repente, os banheiros não me pareciam mais suficientemente limpos. Era assim que eu fazia. As panelas não brilhavam o bastante. Eu limpava-as de modo que elas não pudessem ser diferenciadas das panelas novas. Por toda a parte, eu via os resultados, que não me satisfaziam. Então, fiquei por semanas a fio na lavanderia, separando roupas e enchendo as máquinas.

Em pouco tempo, a secadora e a máquina de passar eram como minhas amigas. A lavanderia não tinha nem luz do dia, nem uma boa ventilação. Ainda assim, eu me sentia bem. No início, os outros trabalhadores ficaram muito irritados com a minha presença, mas isso passou rápido. Eu era muito paciente, amistosa e ajudava todo mundo que eu podia. Aos poucos, eles me veneravam. Era um sentimento bom – o servir.

Essa decisão me conduziu para uma das mais importantes e efetivas descobertas da nossa existência: o servir, porém não de cima, mas sim de baixo. É somente quando realmente estamos em condições de "servir" que tudo se transforma, absolutamente tudo. A segunda descoberta é o desapegar. Para mim, isso se realizou de uma maneira imprevisível. Na época, eu não fazia a menor ideia disso. Eu simplesmente me desapegava, de novo e de novo, e colocava minha força de trabalho à disposição, todos os dias.

Naquele tempo, eu tinha inaugurado um centro residencial de treinamento com um centro de saúde anexo para medicina tradicional chinesa e Ayurveda. Meu então marido, um hoteleiro, tinha colocado à minha disposição um prédio ocioso porque ele queria me ter perto dele. Segundo ele, eu poderia me adaptar aqui e aplicar minha energia de maneira focada. Ele queria ter uma mulher realizada ao seu lado. Até agora, tinha viajado por todo o mundo, em vão, e procurei, em vão, por algo que me serenasse. Aqui na cozinha, lavando louça, limpando cenouras e na lavanderia, de repente, uma profunda serenidade interior instalou-se.

Durante minhas viagens anteriores, conheci diversos facilitadores de seminários que, em minha opinião, mereciam ser ouvidos por outras pessoas. Eu simplesmente queria oferecer alimento para a alma das pessoas que não tinham a possibilidade de viajar tanto quanto eu. Então, eu organizei os mais diversos seminários. Nesse contexto, porém, gostaria de deixar uma coisa bem clara: eu nunca tive a intenção de lucrar com eles. Por esse motivo, eu não exigia nem aceitava comissões dos facilitadores – embora tivesse investido muito tempo e dinheiro, tanto em publicidade quanto na organização dos cursos. Toda essa parte estava em minhas mãos, mas para mim estava claro: eu não queria receber nada por isso. Eu queria apenas S-E-R-V-I-R.

Para mim, era suficiente quando os outros estavam felizes e me agradeciam. Assim como eu, muitos também estavam em busca de algo. Os facilitadores vinham apenas para realizar seus seminários e recebiam todo o dinheiro arrecadado com o evento. Eu também era responsável pela acomodação durante a estadia deles. Eles tinham apenas a obrigação de organizar e arcar com os custos da viagem. Era uma necessidade minha promover e apoiar essas pessoas e, também, servir às outras com essa oferta internacional. Aquele período também foi bom para mim e me satisfez por alguns anos. Eu era novamente uma aprendiz e eu me sentia bem.

Naquela época, minhas recomendações a esses seminários tinham tanto peso que eles estavam sempre lotados. Os facilitadores tinham uma boa reputação. Com o tempo, a demanda passou a aumentar tanto que eu tive de oferecer mais e mais cursos. Não demorou muito, e lá estava eu, de volta à minha antiga via sacra: havia tanto trabalho que eu perdi, de novo, o vínculo com meu centro interior. A ocupação das casas era muito importante para mim. Eu nem sequer encontrava tempo para ficar em um seminário de vez em quando, o que era a minha intenção no começo. Além disso, eu era responsável pela criação e planejamento de cardápios para os convidados do centro de saúde e supervisionava tanto os trabalhos na cozinha quanto a apresentação dos pratos e do bufê. Todo mundo que conhece Ayurveda sabe que esse menu deve ser complexo e equilibrado para cada pessoa. Daí, dessa atividade, surgiu um livro de receitas vegetarianas. Por um lado, meu marido ficou muito satisfeito com essa evolução porque o aproveitamento do hotel aumentava constantemente; por outro lado, eu tinha ainda menos tempo do que antes. Eu estava ficando inquieta novamente.

1.1 O inesperado

Para minha surpresa, meu então marido me contou um dia sobre uma experiência extraordinária que teve durante uma visita a uma vidraçaria. "Você definitivamente deveria conhecer isso", insistiu ele, sabendo muito bem da minha recusa em participar de novos cursos. “Isso pode ser importante para você. Acho que você vai gostar”, ressaltou, justo ele, com tanta euforia, que aquilo me fez refletir. Eu jamais o havia visto daquele jeito. No mínimo, ele não suportava toda essa agitação espiritual, como ele mesmo costumava chamar, quando se referia a esse assunto. Eu também já não queria ouvir mais nada sobre isso. Ainda assim, ele continuou falando animadamente sobre como o dono da vidraria, um homem com os pés bem no chão, extremamente simpático e agradável, havia lhe contado precisamente sobre a imposição de mãos. Ele havia ajudado muitos de seus clientes e isso lhes havia feito muito bem. Nada disso parecia se encaixar no perfil daquele artesão sisudo, e meu marido estava convencido de que eu definitivamente poderia desenvolver algo a partir desse seminário. “Talvez essa seja a coroação. Se eu te conheço bem, isso vai virar algo grandioso”, enfatizou ele.

Até hoje, eu não entendo o que aconteceu naquela época. Meu marido era um homem muito pé no chão e um empresário bem-sucedido, que só acreditava naquilo que ele podia tocar, o que lhe era conveniente e lhe agradava. Logo ele, que ficava zangado com minha assiduidade a seminários e, até mesmo, com os participantes dos seminários, motivou-me até eu saber dos detalhes, por ele, algumas semanas mais tarde. Esse conhecimento só era passado de pessoa para pessoa e apenas para grupos pequenos. Se e como isso funcionava, ele não sabia, mas me disse: “Simplesmente vá até lá, a cinco ruas de distância de nós tem um curso às oito horas da noite. Se você quiser saber mais de antemão, simplesmente ligue você mesma para o homem”. De imediato, eu não queria saber de mais nada.

1.2 A experiência

O que devo dizer? Algo me puxava para lá. O que era? Não sei. Por cinco dias, noite após noite, junto com 40 pessoas, lá estava eu, sentada em uma garagem minúscula, em um calor de 40 graus, para fazer o curso. As paredes estavam repletas de materiais hidráulicos e mangueiras penduradas. Eu permanecia completamente cética, pois não havia sido cobrado nada. O curso era ministrado por um casal, um encanador e uma cabeleireira. Ambos estavam completamente entregues a esse método e profundamente motivados, a serviço dessa causa. Eles voltaram sua vida inteira para esse serviço. Obviamente, eu me perguntava qual vantagem eles tiravam disso. As explanações dos dois pareciam-me bastante fanáticas, até mesmo desproporcionalmente exageradas. No entanto, eu não sabia, na época, que eles estavam relatando experiências próprias. Por essa razão, descartei o que considerava fanatismo e disso estava farta. Além do mais, eu pensava: se tudo aquilo que tinha sido apresentado ali fosse verdade, então esse curso não deveria mais ocorrer em uma garagem, mas sim em um hotel luxuoso. Porém, eu estava errada, como iria descobrir em breve.

Após cerca de três horas, o encanador disse: "Agora nós vamos tocar cada uma das pessoas aqui presentes e ativar seu centro energético". Depois de tudo o que eu já tinha presenciado ali, aquilo me fez ficar ainda mais retraída. Além do mais, aquilo me assustou. Demonstrei meu receio. "Você pode apenas experimentar", o encanador tranquilizou-me. Ele me olhou nos olhos, por um longo tempo, e eu senti como se ele estivesse me implorando para fazer aquilo. "Faça!". Então, ele disse: "Se você se sentir desconfortável, tire minhas mãos de você". De certa forma, ele estava retraído e, por outro lado, eu senti o oposto. Eu não me conhecia mais.

Eu deixei acontecer e fiquei lá sentada, completamente apreensiva. Estava tão tensa que até me esqueci do tempo. Foi então que aconteceu algo totalmente inesperado e inconcebível para mim: de repente, percebi que lágrimas escorriam pelo meu rosto, embora não houvesse nenhuma razão para isso. Eu queria me controlar e parar de chorar, mas foi em vão. Era estranho, eu não estava nem triste, nem alegre. De repente, eu estava desperta. Talvez haja algo naquilo que foi apresentado aqui, pensei eu. Eu não sei o que, mas algo começou a se movimentar dentro de mim. E como! Eu me sentia como se algo em mim tivesse se deslocado. De volta para seu lugar original. Só agora, eu percebia o quão preconceituosa eu vinha sendo, porque tudo aquilo me parecia exagerado demais.

No último dia, cada um de nós levou algo para comermos, sem que isso tivesse sido informado ou combinado antes. Todos fomos convidados, todos comemos juntos, de modo que passamos mais uma hora juntos. Foi agradável estar lá, junto com aquelas pessoas. Elas eram tão simples e práticas. Durante esse tempo, outros milagrosos resultados desse trabalho foram compartilhados. Eu ouvia tudo atenciosamente e, de alguma forma, sentia-me acolhida e confortável.

1.3 O começo

Cerca de seis semanas mais tarde, o encanador e sua esposa, a cabeleireira, ofereceram um curso de treinamento. Lá fui eu novamente. Nesse meio tempo, eu também tive algumas experiências que beiravam milagres. Agora eu sentia que o que os dois compartilharam conosco tinha sido subestimado.

Todo dia vinham cada vez mais pessoas interessadas nos seminários à noite, para buscar uma melhora de seu estado físico com esse tipo de trabalho energético. Elas precisavam aguardar em longas filas para serem atendidas, mas isso não as desmotivava, pois elas já tinham escutado sobre os efeitos positivos no corpo e no espírito. Tudo se dava de maneira muito simples, calma e humilde. Embora a maioria deles tivesse pouco dinheiro, eles refletiam sobre o local onde o local onde o curso poderia ser ministrado com seu professor, apesar dos recursos parcos. Todos estavam muito animados e cheios de antecipação. Eu me senti sem palavras e na obrigação de oferecer uma das grandes salas de nosso hotel para sediar o curso. Eram esperadas entre duzentas e trezentas pessoas. Dito e feito. No final, quinhentas pessoas compareceram. A sala ficou pequena para tantas pessoas, mas ainda assim funcionou.

A proximidade que daí resultou foi comovente. Assim, escutamos e vivenciamos o doutor Curtis Cao Duy, médico americano de origem vietnamita. "A doutrina da vida longa e a doutrina da energia universal e humana" era o nome do método para o tratamento energético e para o desenvolvimento da personalidade e da consciência. Nele, são transmitidos conhecimentos tradicionais e novas compreensões sobre a vida, a mente, o corpo, a saúde e o ser humano como um todo. De uma forma especial, são estabelecidos e conduzidos o acesso e a conexão a uma nova compreensão das energias invisíveis no mundo energético.

O método apresentado pelo doutor Curtis era baseado em técnicas tradicionais oriundas do grão-mestre Dasira Narada (1846-1924), supostamente provindo de Colombo/Sri Lanka. Já na terceira fase da sua vida, depois de 18 anos desenvolvendo suas habilidades espirituais nas montanhas do Himalaia, ele atingiu o estado de iluminação. Ao alcançá-lo, ele descobriu o segredo da energia da vida. Suas descobertas e uma forma derivada de energização foram passadas para várias pessoas em todo o mundo. O extraordinário era: embora os seminários durassem vários dias, eram realizados à base de doações. De acordo com o Dr. Curtis, conexão e troca verdadeiras acontecem somente se a quantia doada for significativamente alta para todos. Ele designou o processo como "tornar-se um ser humano verdadeiro".

Durante o seminário em nosso hotel, o doutor Curtis Cao Duy estendeu a mão e, com um pobre inglês, disse: "*Esta é sua maleta de remédios e de emergência. Ninguém consegue fazer isso melhor do que você mesmo*". O salão inteiro permaneceu em profundo silêncio, e ele continuou: "*Todos podem aprender a observar a própria supermemória do seu coração, a fim de ajudar e curar a si mesmo. Vocês não precisam depender da ajuda nem da energia de outras pessoas*". Ele estava exagerando? Mais uma vez eu colocava minhas objeções silenciosas.

Próximo do final do curso, eu percebi como novamente estava presa a antigos padrões de pensamento: girava sempre em torno de avaliação, julgamento, consentimento e rejeição. Com isso, muito do que o doutor Curtis Cao Duy tinha dito ao longo daqueles cinco dias, das 9 da manhã às 9 da noite, havia se perdido para mim, mas o essencial ficou comigo. Para alguns dos outros participantes, com bem menos experiência, foi mais fácil. Eles ouviam, acreditavam e obedeciam. Às vezes, eu até os admirava por isso. O que começou de uma maneira tão estranha foi o início do fim da minha busca. Quando reflito sobre isso tudo, hoje em dia, parece-me tão estranho. Por tantos anos, busquei, com tanta obstinação e afinco, pelo mundo todo, e não encontrei o esperado. Agora, que eu não estava procurando nada, encontrei tanta coisa, aliás, tudo. Meu coração tornava-se cada vez mais sereno. Eu tinha não só um sentimento de ter chegado em algum lugar, mas também muito mais do que isso. Pouco depois, Bert chegou em minha vida de maneira totalmente inesperada. Até hoje, eu sempre dou nos meus seminários a mesma orientação: dê tudo, não espere nada. Então, acontecerão milagres. Experimente. Nessa postura, há claramente uma lei de manutenção da vida na mais alta ação. Não espere por nada e dê TUDO.

Parece tão fácil, mas é tão difícil de cumprir. O universo juntou de maneira incompreensível dois componentes sobre os quais minha vida repousa total e plenamente. E quais são eles? Sincronia cósmica. Sobre isso, falaremos mais depois.

1.4 A próxima etapa

Eu participei de mais cursos com o doutor Curtis. Acabamos nos tornando bons amigos. Durante vários anos, passei adiante esse conhecimento, incansavelmente, para pequenos grupos e, até mesmo, individualmente.

Tempos depois, eu convidei o doutor Curtis para a Áustria e, depois, para a Alemanha. Alegremente, ele aceitou meu convite. Eu organizava seminários para ele. Embora apenas 75 pessoas tivessem participado do seu primeiro curso, ele retornou dois anos depois. Dessa vez, 1.000 pessoas compareceram. Até a imprensa tinha sido convidada. Ficou claro que meu então marido estava certo em sua profecia.

Na verdade, eu tinha iniciado um grande movimento, tinha feito muito e investido bastante tempo e amor em centenas de cursos que ministrei. Essa foi a única maneira de alcançar esse resultado mencionado. Infelizmente, a fama repentina mudou algo no doutor Curtis. Talvez eu fosse a principal responsável por essa guinada. Cada vez mais, esse pensamento mexia comigo.

Eu estava convencida de que tínhamos de dar apoio a ele e à sua família. Por isso, apliquei uma taxa de inscrição bem baixa para o seminário. Esses seminários organizados por mim foram um grande sucesso. Ele ganhou, pela primeira vez, muito dinheiro com isso. Mais ainda: eu tinha convidado a imprensa e os jornalistas e, de uma tacada, ele se tornou famoso. Porém, como é frequentemente o caso, muito não é suficiente. Um grande sucesso nem sempre tem efeitos positivos em toda pessoa.

Hoje, quase 40 anos mais tarde e com o conhecimento adquirido a partir da constelação familiar, está claro para mim: ele queria ficar rico, mas ele não tinha permissão para ter prosperidade. Seu subconsciente o forçou a fazer o mesmo que seus antepassados. Assim, ele cometeu erros que não podiam mais ser corrigidos e deu início ao próprio declínio. Seu coração não aguentou. Ele sofreu um AVC no aeroporto. Seis semanas depois, ele faleceu. Seus herdeiros não conseguiram entrar em acordo sobre quem deveria assumir a liderança. Por isso, eu me retirei do movimento por muitos anos. De alguma forma, de uma maneira inexplicável, eu me sentia estranhamente responsável por sua mudança de comportamento e, em segredo, talvez por muitas outras coisas mais. Só com o trabalho da constelação familiar, ficou claro para mim o que tinha dado errado. Por essa razão, não queria e não podia mais realizar os cursos. Isso durou cerca de dez anos.

Com o Dr. Curtis, aprendi a colocar-me à disposição das forças universais como uma ferramenta - sem qualquer intenção, sem qualquer "se" ou "mas", simplesmente para servir como um canal. Compreendido e feito. Tão logo nós tenhamos internalizado e entendido isso, trata-se exclusivamente do seguinte: confiar plenamente em nossa ausência de intenção e no SERVIR, que tudo sempre acontece para o melhor de cada ser humano. O que quer que seja. Embora tudo ocorra sem palavras e de forma invisível, o resultado permanece insuperável. Eu me dei uma chance e renasci. Sem intenção e em serviço, somos ferramenta de uma outra força.

Depois do afastamento, conheci o Bert e a constelação familiar. Cosmic Power® tinha uma pausa de dez anos. Fiquei completamente encantada com a constelação familiar e com Bert. Finalmente, eu havia alcançado o destino da minha busca. Meus anseios tinham se realizado e muito mais. Eu queria, com muito gosto, passar todas as minhas experiências fantásticas para outras pessoas. Foi assim que desenvolvi o meu próprio método de meditação, de respiração e de consciência, Cosmic Power, que encontrou, nesse meio tempo, um lugar de destaque em todo o mundo e que é também ensinado e divulgado. Afirmar que todos entendem o que exatamente acontece ali, leva ao equívoco. Na realidade, não são muitos os que conseguem, com determinação, continuar nesse caminho até alcançar maestria. Depende da postura interna, da decisão, da consequência, do engajamento e da prática disciplinada. Em combinação com a constelação familiar, as mais diferentes portas são abertas e são liberadas energias tão especiais, que nós vivenciamos a obra da sincronia cósmica de maneira arrebatadora. Deixa-nos sem palavras e, ao mesmo tempo, indescritivelmente felizes e realizados.

Obviamente, não é a *nossa* força que atua em Cosmic Power®, tampouco se faz-se algum tratamento. Eu não pretendo ser capaz de curar ninguém, pois o curador vive sempre dentro da própria pessoa! No entanto, por meio da imposição de mãos, da respiração consciente e com determinação, nós ativamos o curador interior e as energias adormecidas dentro de nós. Por meio da disciplina, do exercício e da prática, os antigos programas de nosso subconsciente são reescritos e o que é velho e desgastante é apagado. É claro que isso geralmente tem consequências, porque o secreto manifesta-se exatamente da mesma maneira. Na prática, é importante dissolver velhas crenças e hábitos – às vezes voluntariamente, às vezes involuntariamente. Ocasionalmente, isso pode ser muito doloroso em diferentes situações e casos. De fato, isso leva, de vez em quando, ao desespero.

Mas não se preocupe, os véus caem e a neblina dissipa-se. Não foi à toa que o doutor Curtis Cao Duy denominou esse movimento de "tornar-se um ser humano verdadeiro".

Resumo

1. *Só encontrei meu propósito quando abdiquei de buscá-lo. O "não querer mais forçar" abriu portas até então trancadas. Pude continuar;*
2. *As descobertas baseadas em Cosmic Power® são conhecidas, testadas e comprovadas há centenas de anos;*
3. *Eu não "faço" nada. Eu me coloco à disposição da energia universal como ferramenta.*

NOTAS PESSOAIS

II

O que é Cosmic Power®?

O que é força cósmica? Toda matéria existe e provém de uma única fonte. Precisamos assumir que, por trás dessa força, há um espírito consciente e inteligente. Esse espírito é a matriz de toda matéria. É o que diz também o pai da física quântica, Max Planck.

Cosmic Power® não é nem uma força mecânica, nem gravidade. Cosmic Power® é energia e, dessa forma, também espírito e consciência. Esse espírito não é comparável com a consciência e racionalidade humanas. Esse espírito engloba TUDO. Ele nos conduz a um presente atemporal, no qual o passado e o futuro revelam-se no Agora. É um espírito inteligente, consciente e que a tudo engloba.

Se, por trás de tudo, age uma força motriz criadora, então é inevitável colocar-se a seguinte questão: é possível conectar-se com essa força criadora e comunicar-se com ela? Esse espírito pode nos ouvir? O Cosmos pode nos ouvir? Caso positivo, como ele responde? Como ele responde ao ser humano, que é um ser espiritual energético?

Qual língua é falada aí? Em qual língua falam as partículas? Em qual língua falam os quanta? Como podemos nos comunicar com ondas e partículas, se o Universo todo vive e nós mesmos somos parte dele?

A nossa consciência e o nosso corpo fazem, também, parte de um único e grande organismo e não de unidades individuais, como muitas vezes imaginamos? Eles podem agir separadamente? Caso sim, quais consequências podem emergir daí?

Cosmic Power® orquestra corpo, mente e alma.

Cosmic Power é consciência, espírito e, por conseguinte, plenamente energia. É um canal de comunicação. Partícula, assim como onda. $E = mc^2$: massa é apenas energia – em outra forma.

2.1 O termo Energia

O termo energia deriva da palavra grega "energeia". É encontrado pela primeira vez em **Aristóteles** (384-322 a.C.). Em "energeia", ele viu o espírito divino ou a efetividade que ajuda o meramente possível a tornar-se realidade. Nesse sentido, Aristóteles considerou tudo o que acontece como uma transição do estado do possível para o da realidade e da eficácia. Nisso, "energeia" é alma, compreensão e vida.

O termo energia só foi introduzido nas ciências naturais após a proposta do britânico Thomas Young, em 1802, quando foi utilizado para descrever a capacidade de trabalho das máquinas. Pela incorporação de resultados de diversas outras aplicações, chegou-se ao conceito moderno de energia. Em 1913, Max Planck escreveu que esse termo ofereceria "o ponto de partida mais sólido... de todas as especulações científicas".

Em 1847, Hermann von Helmholtz formulou o princípio de conservação de energia: a energia não pode ser destruída nem gerada, mas, na melhor das hipóteses, muda sua aparência.

Uma lei da física quântica postula que a energia não pode ser criada nem reproduzida, mas apenas transformada, porém não desenvolvida ou destruída. A energia está integrada em nosso coração e em nossas células, ela interage e não pode mais dissolver-se. Uma vez que essa energia tenha surgido dentro de nós e alcançado-nos, nada poderá removê-la. Assim como nos aceleradores de partículas, nunca se sabe quando e onde as partículas aparecerão.

Por meio da observação, elas são suspensas em um estado físico e são indestrutíveis para sempre. Por essa razão, também sempre podem ser observadas no futuro. Apenas metamorfose e transformação são possíveis. Conforme incluímos as meditações Cosmic Power® em nossa vida cotidiana, agimos de maneira mais bondosa, mais serena e mais sábia.

2.2 Espírito e consciência

O que é força cósmica? Toda matéria existe e deriva de uma força única. Devemos assumir que existe um espírito inteligente e consciente por trás dessa força. Esse espírito é a matriz de toda a matéria. Assim fala Max Planck, o pai da física quântica.

O termo consciência deriva da palavra latina "conscientia", que é composta do prefixo "con" (com) e do substantivo "scientia" (conhecimento). Se olharmos para a etimologia da palavra, consciência significa "com conhecimento". Analogamente, uma pessoa consciente é alguém "com conhecimento" ou um "co(m)-conhecedor". Em outras palavras, esse alguém participa do conhecimento universal que está escondido nos fenômenos do mundo.

Quem aceita a convergência estrutural do espírito e da matéria não tem razão para ser cético. Também não duvidará, nem por um momento, de que remissões, curas espontâneas e muito mais são possíveis quando espírito e matéria interagem.

Uma das conquistas mais elementares do espírito é a fé. Nela, combinam-se diversos elementos: o sentimento, a vontade, a expectativa, a esperança e a alegria, o subconsciente e o consciente. A fé é uma das forças mais eficazes que influenciam o corpo.

Cada sentimento, cada pensamento que atua na fé é um acontecimento corporal holístico, que atinge e influencia as células dos órgãos.

No fim das contas, a fé nada mais é do que uma forte convicção de que algo muito específico existe e acontece. Não importa se uma pessoa pertence a alguma religião ou se é ateu, pois todo ser humano acredita em algo. As crenças, entretanto, nada mais são do que realidades autocriadas, que podem ser encontradas na realidade celular. Elas provêm do passado e abrangem desejos futuros.

2.3 Autodescoberta e autodeterminação

Pela recuperação do próprio poder e ao assumir a própria responsabilidade, cada vida torna-se mais profunda, mais rica, mais alegre, mais forte e mais feliz. Nesse capítulo, eu descrevo como isso é possível. Espero que eu possa motivar qualquer um, que leia isso, a recuperar o poder sobre si mesmo e, assim, sobre a própria vida, pois quanto mais pessoas reconquistam o seu poder, mais belo será nosso planeta. Cosmic Power® é uma forma direta e eficaz de cada indivíduo alcançar esse objetivo – o que foi, nesse meio tempo, cientificamente comprovado.

Como explicado anteriormente, Cosmic Power® tem a ver com energia, mente, consciência e contato com a matriz universal. Esse é o plano primordial de tudo o que existe. Para qualquer pessoa com respeito, disciplina e perseverança, esse tipo de comunicação pode ser aprendido e experimentado. A estrutura básica para isso em Cosmic Power® é uma técnica de respiração muito específica articulada com meditação, o que leva à presença total e a uma neutralidade.

Ou seja, sem deixar-se levar para um julgamento ou para uma avaliação. A prática diária é essencial e leva, de maneira perceptível, a um estado ampliado de consciência. A prática regular conduz a uma clarividência, clariaudiência e sabedoria, podendo parecer peculiar, bem como à liberdade interior. Com isso, uma postura neutra, sem julgamentos, nasce e pode ser posta em ação. Dessa forma, é possível experienciar, todos os dias, com alegria, o quão fácil e simples uma vida sem julgamentos pode ser vivida. O resultado leva a uma sincronia cósmica.

2.4 Sincronia cósmica

O principal propósito é conectar-se com as forças cósmicas e colocar-se à disposição para servir. Por meio da respiração, mergulha-se repetidamente no estado original, como parte de todo o ser. Em primeiro lugar, é necessária vontade pessoal. Quando esta é despertada e está presente, por meio do serviço, podem ser vivenciados verdadeiros milagres. A paz repousa na própria alma. Ela provém do olhar de uma forma especial, ver o que não é óbvio, ouvir atentamente de uma forma especial, ouvir o que é mencionado de passagem e ouvir o que não é dito.

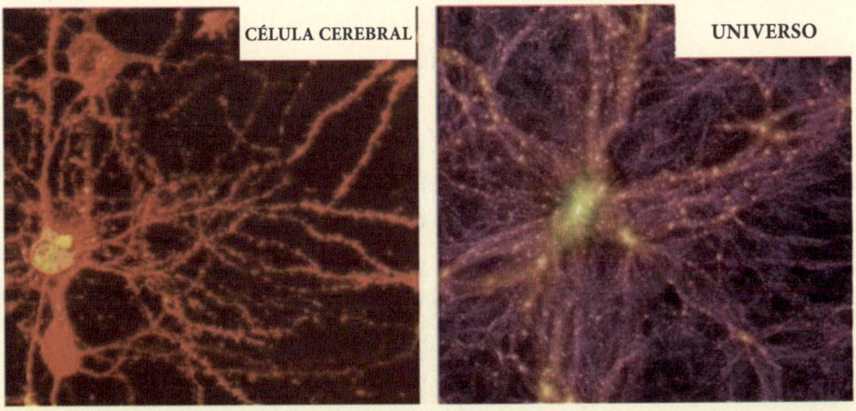

A prática constante dos exercícios de Cosmic Power® permite que cada um reconheça a vida na diversidade dos seus espectros, escolha e siga conscientemente um caminho de vida pleno. Isso abre uma quantidade inesgotável de possibilidades. Cada único passo leva ao seguinte, sempre mais e mais profundo no nosso subconsciente. Ao mesmo tempo, somos guiados a soluções e resultados inesperados.

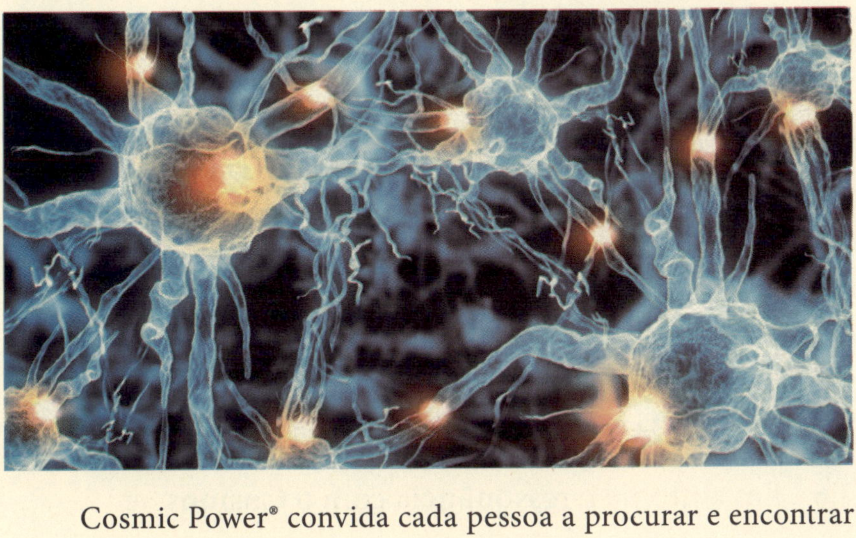

Cosmic Power® convida cada pessoa a procurar e encontrar o que ela verdadeiramente é, no seu interior mais íntimo e no cerne de seu Ser. Ou seja, um ser espiritual, bioelétrico, magnético que, por meio desse único corpo, procura encontrar a sua expressão absolutamente singular e a sua reconexão com a sua origem. As possibilidades decorrentes disso são ainda mais diversas e muito maiores do que se pode imaginar. A limitação de todas as possibilidades sempre ocorre apenas na própria mente.

A partir do nascimento, todo ser humano é um ser ilimitado. Toda pessoa é capaz de agir sem limites e ampliar suas percepções, seu ser, suas sensações e sentidos para muito além daquilo que é diário. Aquele que estiver disposto a seguir esse caminho, logo perceberá que, na sua originalidade, todo ser humano é um ser único e ilimitado, para o qual TUDO é possível. Em qualquer lugar e a qualquer momento, cada pessoa tem a livre escolha.

Todos podem deixar sua prisão interior, composta de convicções, condicionamentos, experiências, crenças, delimitações, assim como as limitações dos seus pensamentos e sentimentos. Todos podem se libertar dessa prisão para expressar sua vida como um ser pleno, divino e ilimitado. Milagres não estão fora de nós. Enquanto não entendermos que nós mesmos somos o maior milagre, absolutamente nada acontecerá.

2.5 Entender – assimilar – praticar – aplicar

Muitas pessoas partem do princípio de que tudo é limitado, mas essas são ideias incompatíveis com a realidade do Universo e de Cosmic Power®.

Os julgamentos e as distinções constroem muros à nossa volta que nos impedem de nos envolvermos com os níveis de percepção disponíveis. Para ver, sentir, ouvir e, em conformidade com eles, agir; não com os nossos olhos, ouvidos e mãos, mas astralmente, com a sabedoria do coração.

2.6 Em sintonia e ressonância com o Cosmos

O ser humano bioelétrico é, a todo momento, simultaneamente um transmissor e um receptor. Se estamos plenamente cientes disso, então usamos ambos os lados da polaridade, o positivo e o negativo. Deslocamo-nos de um lado para o outro constantemente e, a curto prazo, podemos sentir nossa totalidade no ponto central.

A totalidade aqui significa: juntos somos fortes, juntos superamos barreiras, conseguimos tudo e não nos deixamos mais ser bloqueados por ideias e imaginações predeterminadas na nossa vida. Podemos reconhecer o que e quem realmente somos: ilimitadamente poderosos e eternos. Podemos praticar e experimentar essa postura de vida.

Podemos substituir e superar traumas e dramas da nossa vida, deixá-los para trás e, assim, trilhar o caminho da nossa própria salvação corporal e espiritual pela vida. Para ficar sempre em sintonia e ressonância com o Cosmos, é preciso uma presença e uma técnica bastante especiais.

Com Cosmic Power® como base da nossa postura de vida e como ferramenta, somos capazes de sair da dinâmica do aprisionamento e da imaturidade. Somos capazes de receber, de outra forma, pensamentos e sentimentos de uma fonte de informação até então desconhecida – sem polaridade e de consciência pura, pois não julga nem condena. Aceita todas as coisas como elas são, ou seja, como um possível aspecto da vida. Este, por sua vez, conduz a novas perspectivas.

Nós chegamos ao nosso destino quando consideramos possíveis e interessantes até os mais peculiares pontos de vista e interpretações, permanecendo curiosos. No entanto, sem amarras, sem exigências e sem fixações. Em relação a tudo, da forma como são e como se mostram – com grande gratidão e amor.

Cosmic Power® é a força que atua por trás de tudo.

Cosmic Power® é energia, e energia é indestrutível, apenas modificável.

Cosmic Power® é movimento, e movimento é vida.

Cosmic Power® responde às perguntas da vida que não são concebíveis ou possíveis na consciência cotidiana.

Cosmic Power® dá um novo rumo à vida.

Cosmic Power® conduz à leveza do ser, à alegria e à felicidade.

Cosmic Power® conduz ao nível da vida que pode ser vivido.

Cosmic Power® significa redescobrir a alegria do eterno e infinito desenvolvimento do ser.

Cosmic Power® é um caminho de assumir uma postura muito consciente de autorresponsabilidade e autodeterminação.

Cosmic Power® é o caminho da liberação da sabedoria interna e da força da vida e da consciência.

Cosmic Power® é um caminho para a experiência de si mesmo.

Cosmic Power® é o caminho para o autodesenvolvimento e para a descoberta da realidade do próprio ser.

Cosmic Power® é o caminho para a ligação plena global em todos os níveis.

Cosmic Power® é o caminho da realização do próprio, interno e predefinido objetivo de vida.

Cosmic Power® é o caminho para o próprio potencial da vida.

Cosmic Power® **não é um método, nem uma doutrina, nem uma religião! Não importa a nação, religião ou profissão a que alguém pertença, todos são cordialmente convidados para esse campo de totalidade, liberdade e saúde.**

2.7 Minha primeira grande experiência com Cosmic Power®

Certo dia uma jovem mulher bateu à minha porta buscando minha ajuda. Ela tinha ouvido falar de mim e viajou quase 2.000 quilômetros com a filha deficiente, uma adolescente de 17 anos, e sua cuidadora. Ela explicou que a filha, aos 9 meses de idade, tinha sido severamente agredida pelo próprio pai, após este ficar extremamente irritado com a criança, que não parava de chorar, enquanto a mãe estava ocupava resolvendo detalhes do batismo da menina. O pai foi condenado por seu crime, mas os danos causados à criança não puderam ser revertidos.

Essa mãe explicou-me que a deficiência da filha nem era o maior problema. O pior mesmo era o fato de ela não ter movimentos peristálticos, isto é, o uso de laxantes era sempre necessário para que a menina pudesse defecar. Contudo, a menina não tolerava os laxantes e eles provocavam graves efeitos colaterais. Sem os laxantes, a mãe precisava remover as fezes com os próprios dedos, o que provocava imensa dor na garota. Ela queria, então, poupar a filha de toda essa tortura. Eu concordei em receber a menina e em aconselhar o que seria melhor para ela. Eu consegui fazer a imposição de mãos sobre ela. Após o segundo dia de tratamento, a mãe me saudou aos prantos, mas eram lágrimas de alegria, pois, pela manhã, havia encontrado fezes duras na fralda da filha. A própria menina demonstrava uma alegria tão grande que ela não conseguia parar de rir. Após esse acontecido, a mãe aceitou, com prazer, a minha sugestão de fazer a formação em Cosmic Power®.

Um ano depois, ela me contou que a cabeça do fêmur da filha desprendeu-se da articulação do quadril e perfurou a pele para fora. Apenas uma cirurgia de emergência salvaria a vida da garota. Embora a cirurgia tivesse corrido bem, a menina teve hipotermia e nada estava sendo capaz de trazê-la de volta do coma no qual tinha entrado.

As enfermeiras saíram do quarto para que a mãe pudesse ficar sozinha com a filha, em suas últimas horas de vida. Subitamente, ela se deu conta da situação e pensou consigo mesma: "Não há mais nada a perder". Então, impôs as mãos sobre a filha e assim permaneceu por um longo tempo. De repente, ela notou a menina começando a se mover sob suas mãos e as bochechas dela ficando coradas.

Radiante, ela saiu em disparada pelo corredor, gritando pelas enfermeiras, que rapidamente desapareceram pelos outros quartos. Uma enfermeira apareceu, imediatamente se benzendo, e murmurou: "Deus Pai no céu".

Foi aí que ela percebeu que todos estavam pensando que a garota tivesse morrido. Porém, tinha se passado exatamente o contrário. O médico disse que, dado à longa hipotermia, o que aconteceu tinha sido um verdadeiro milagre. A mulher me agradeceu imensamente e, com muita alegria, disse: "*Eu experienciei o que VOCÊ é capaz de fazer, mas que eu mesma também fosse capaz de fazer o mesmo, jamais poderia acreditar*".

Resumo

1. ***Cosmic Power® não é nem um método, nem uma doutrina e tampouco uma religião;***
2. ***Cosmic Power® é energia, ou seja, espírito e consciência;***
3. ***Com a ajuda de Cosmic Power®, recebemos respostas para perguntas de nossa vida que não são concebíveis em consciência normal;***
4. ***Com Cosmic Power® como base da nossa postura perante a vida e as suas possibilidades e como ferramenta de autodeterminação, a nossa vida torna-se mais profunda e mais rica em todos os aspectos, em todas as dimensões.***

NOTAS PESSOAIS

III

O corpo bioeletromagnético (CBEM)

O o ser humano é envolvido por um campo bioeletromagnético, o corpo energético. Esse corpo bioeletromagnético, ou CBEM, é real e existe em torno de tudo o que tem forma. Ele é mensurável, palpável e pode, inclusive, ser detectado com a utilização de aparelhos sensíveis.

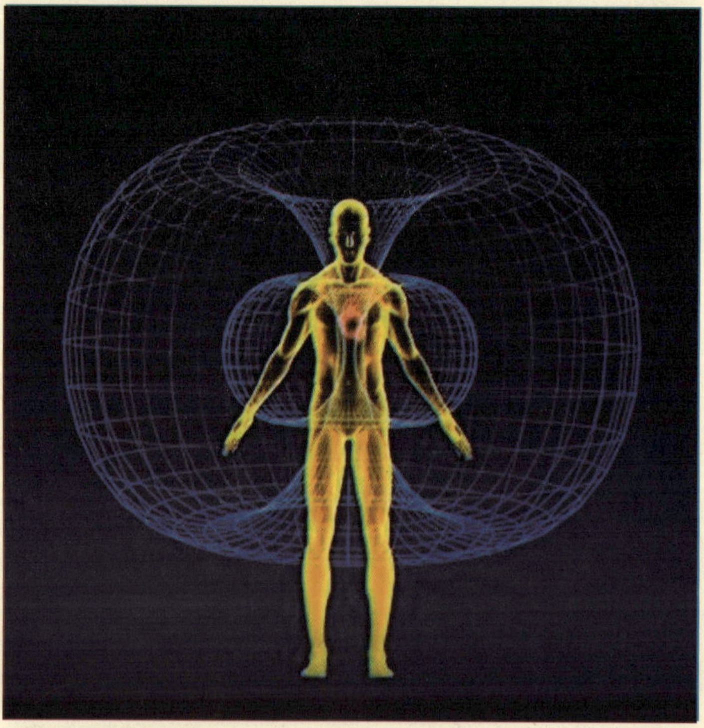

Nosso corpo energético funciona como uma antena. A transmissão e recepção de antenas materiais têm certas limitações de alcance, enquanto a antena do nosso CBEM atua em todas as frequências e tem alcance ilimitado. Da mesma forma, não existe uma limitação temporal. O CBEM é, ao mesmo tempo, um transmissor e receptor permanente, sempre ativo, independente de nossa orientação e consentimento. Nosso CBEM é uma espécie de "Registro Akáshico", no qual tudo é armazenado. Ele é nosso duplo etérico e está constantemente conosco.

Além disso, somos também envoltos por diferentes campos bioeletromagnéticos energéticos de todas as cores.

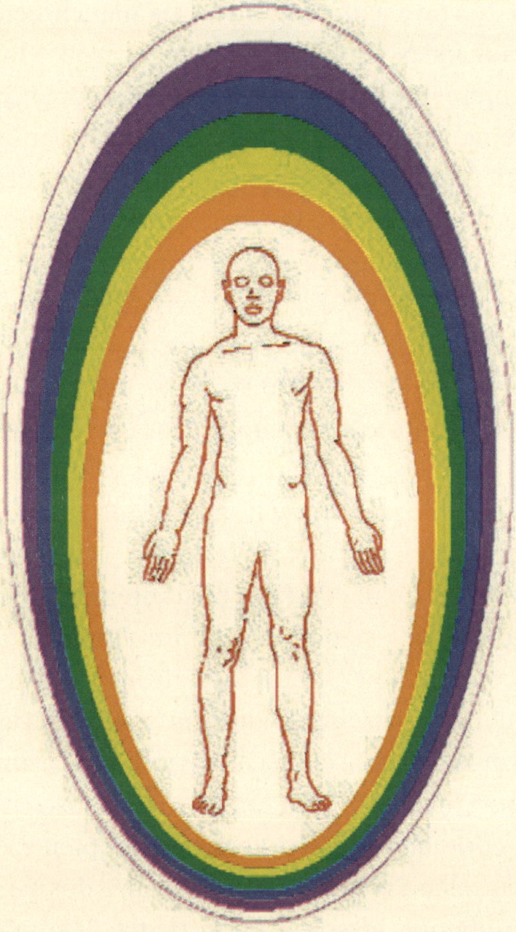

Isso significa que carregamos conosco nosso CBEM e toda a nossa história em nós mesmos. Cada ação desempenhada é armazenada em nós e no duplo etérico. Resumindo, somos a soma de tudo o que fazemos ou do que não fazemos. Por meio de sentimentos e pensamentos, inconscientemente, controlamos o metabolismo e, portanto, todos esses campos e vice-versa. Nosso CBEM está o tempo todo em movimento e trocando informações com tudo o que existe. Tudo o que somos é o resultado do que já pensamos e fizemos ou do que fazemos agora.

De certa forma, estamos envolvidos em tudo o que acontece conosco ou nos é dado. Em determinadas situações, nosso subconsciente força nosso consciente a agir de uma maneira específica e de nenhuma outra mais. Nosso duplo etérico, nosso CBEM, está sempre ali e constantemente no controle. Podemos contar com ele, pois nunca mente, uma vez que não podemos mentir para nós mesmos de forma consciente. Ele é EU e meu companheiro constante e fiel.

Na aplicação de Cosmic Power® ocorre sempre, simultaneamente, um ajuste de todos os eventos, tanto no plano material como no plano etérico. Os resultados manifestam-se de acordo com a ressonância, a curto ou longo prazo, nos sentimentos, no espírito, no corpo, no sucesso, no fracasso, assim como em todos os nossos relacionamentos. É sempre nossa tarefa pessoal entender nosso mal-estar. Ele nos oferece uma oportunidade de crescimento pessoal em diferentes níveis, ao mesmo tempo.

Nosso ambiente age como um espelho. Nossas aproximadamente 55 trilhões de células estão constantemente ouvindo e, de forma correspondente, estão ativas. Já por essa razão, é essencial concluir que, com cada pensamento, sentimento e ação, influenciamos, de forma decisiva, nosso destino como cocriadores.

Se quisermos nos conscientizar disso e trazer uma mudança, é de suma importância viver, de forma mais consciente e responsável, o nosso cotidiano, dentro do nosso ambiente e junto com ele. Essa atenção plena começa com a escolha dos pensamentos e das palavras resultantes disso. A Bíblia já diz: "No princípio era a palavra". O que isso significa? Se no princípio era a palavra, que força tem, então, uma palavra? Se começarmos a procurar pela força da palavra, encontraremos rapidamente o que procuramos. As nossas células corporais reagem de imediato.

3.1 O ser humano – um computador cósmico?

O seguinte teste cinesiológico pode ser realizado em qualquer pessoa. Para isso, mede-se o nível energético atual da pessoa testada. Em seguida, diz-se a ela de uma a três palavras desagradáveis. Se o teste for imediatamente repetido, notar-se-á uma queda de energia entre 60% e 90% – dependendo da ressonância das palavras desagradáveis. Então, pode-se conduzir o teste no sentido contrário e dizer à pessoa três palavras agradáveis.

Com isso, perceber-se-á um aumento energético entre 70% e 90%. Se deixarmos os resultados desse teste atuar dentro de nós, surgirá a questão: Estamos realmente conscientes do efeito das nossas próprias palavras e das palavras dos outros?

Cosmic Power oferece a cada um a oportunidade de explorar os campos imateriais, de conectar-se a eles, de recorrer a eles e de deixá-los agir – em benefício próprio e em benefício de todos. Conhecer o CBEM, senti-lo e controlá-lo fisicamente, poder vê-lo e ouvi-lo, é uma tarefa realizadora e benéfica. Isso inclui compreender, reconhecer e respeitar informações que nos são desconhecidas e inconscientes e, de acordo com o que é percebido, voltar-se a elas e deixar que elas ajam por meio de nós.

Entregar-se a essas informações tem consequências de longo alcance para ambos os lados e para sistemas inteiros. Elas podem ocorrer imediatamente, mas também após um período de tempo mais longo - até dois anos, por exemplo. A duração da conexão energética mantém-se na frequência correspondente e conduz a possibilidades completamente novas, sem nunca ter de pensar nessa pessoa, coisa ou acontecimento.

Nada do que é experimentado por um participante em um curso de Cosmic Power® pode ser transferido 100% para outro participante, pois há apenas pessoas únicas. Não existem dois olhos idênticos, nem dois flocos de neve idênticos, nem duas gotas de sangue idênticas, nem duas impressões digitais idênticas. Nós existimos apenas como originais e caminhamos ao nosso lado, como uma cópia de nós mesmos, sem nos darmos conta disso.

Todos são capazes de vivenciar experiências completamente novas por si próprios – muito mais íntimas, mais profundas, mais amplas do que qualquer outro ser humano antes, porque, com cada praticante, os campos expandem-se e potencializam-se mais e mais rápido.

Em ação, Cosmic Power® possibilita o alívio da dor ou a cura nos níveis físico, mental e espiritual, conforme a abertura de cada um, conforme a abertura de cada um. Um *reset* permite aceder ao nível da compreensão.

Como resultado da prática, sem dúvida, o caráter também se altera. Posso dizer por mim mesma: devido à combinação entre Cosmic Power® e *Familienstellen*, renasci diversas vezes. É como aprender a caminhar de novo, a cada vez.

Cosmic Power® conduz a um novo direcionamento dos próprios objetivos de vida, a uma nova visão de mundo e a uma nova orientação e mudança da humanidade.

O corpo pode perecer, mas o espírito permanece eterno. E é exatamente este que pode ser vivenciado como um ser ilimitado.

Notas pessoais

IV

A força curativa da respiração Cosmic Power®

O que vocês diriam se eu afirmasse que existem práticas bem específicas que, por exemplo, produzem o valor correto de PH do sangue e que reduzem o excesso de acidez em minutos; que aceleram a digestão; que normalizam os batimentos cardíacos ao reduzir o nível de estresse em questão de minutos, o que, por sua vez, leva a um sono restaurador. Estas não são práticas de moda, como plantar bananeiras, mas sim um processo natural, muito comum e próprio do corpo, que se consuma naturalmente, por si só.

Sobre o que estou falando? São exercícios de respiração e, se feitos corretamente, talvez sejam a ferramenta mais poderosa para controlar a nossa mente, por exemplo, para mudar o nosso sistema nervoso, o nosso sistema nervoso endócrino, em tempo recorde. Não importa se você tem problemas digestivos ou ataques de pânico. Para a maioria das pessoas, respirar é algo automático, controlado pelo sistema nervoso autônomo.

O que você faz se alguém esbarra em você e você quase cai? Você expira? Ou inspira – inclusive prende a respiração? Por quê? Porque o sistema nervoso simpático reage imediatamente. Como já foi dito, todos os dias, a maioria das pessoas respira como se tivesse acabado de escapar de um acontecimento terrível.

Não deve ser difícil imaginar o que essa respiração faz ao nosso sistema nervoso, aos nossos órgãos e à nossa vida.

Porém, se nós imaginarmos que passamos um ótimo dia com alguém e, ao final desse dia, esse alguém sussurrar no nosso ouvido "Eu te amo", nesse momento, INspiraremos ou EXpiraremos? Sim, nós expiraremos. Nós abriremos nosso coração. Nós abriremos nossas mãos e pernas e nos apaixonaremos. O sistema nervoso parassimpático responderá. Claro que muitos dirão: "Eu não me lembro se já experienciei algo como isso." Contudo, atenção! Nunca é tarde demais e nada está perdido. Você está recebendo isso agora em suas mãos. O quê? Cosmic Power®.

Durante minha internação em um centro de reabilitação, convivi diariamente com pacientes que sofriam de problemas respiratórios. Até então, tinha pouco conhecimento a respeito dessas dificuldades. Em todas as nossas atividades diárias, ficávamos juntos, inclusive durante as refeições e sessões esportivas. Então, eu sempre voltava a conversar com eles. Eu ficava realmente chocada ao ver essas pessoas no estado em que estavam. Lutando o tempo todo por um pouco de ar e sempre com máscara de oxigênio no rosto, enquanto carregavam para todo lado, em um carrinho portátil, os equipamentos necessários para ajudá-los a respirar.

Eu conversei com inúmeros pacientes. Muitos estavam na lista de espera por um transplante, outros já haviam passado pelo transplante. Alguns, por sua vez, recusavam-se a passar por qualquer cirurgia. Todos, com exceção de uma jovem mulher de 20 anos, tinham algo em comum: eram fumantes. Alguns se arrependiam muito. Outros, alguns poucos, permaneciam com o cigarro nas mãos e máscaras para respiração, no espaço reservado aos fumantes, em frente à casa, apesar de ser proibido.

De acordo com os resultados de pesquisas recentes, uma respiração consciente atua sobre:

- sono,
- sistema imunológico,
- trato digestivo,
- cérebro,
- memória,

- costas,
- circulação,
- pressão sanguínea.

Em suma, atua em todo o seu corpo e, por conseguinte, também em sua saúde.

A respiração consciente também auxilia a nossa juventude e protege contra os processos de envelhecimento precoce. Ela ativa a glândula timo, o diafragma, o esófago, a saúde em geral e a longevidade. Uma respiração correta favorece a nossa felicidade.

No entanto, nove em cada dez pessoas respiram incorretamente. Respiram demasiado superficialmente. Isso provoca tensão no pescoço, nas costas e nos músculos da caixa torácica e em volta dela. Muitos encontram outras causas para essas dores, como, por exemplo, o fato de passarem tempo demais sentados em frente ao computador ou algo semelhante.

Assim que passamos a incluir na respiração nosso músculo mais importante, o diafragma, assim como toda a região do abdômen, não só estamos nos proporcionando uma aparência melhor como estamos aliviando, de maneira consciente e instantaneamente, o estresse, que é a causa de uma alta porcentagem de doenças. Por meio de uma respiração errada, contrai-se a musculatura da nuca. Dessa forma, ativamos o sistema simpático, que aciona em nós o modo de combate ou fuga e dura bastante – mesmo que não haja perigo algum rondando.

Por que nos comportamos dessa maneira? Quando crianças, todos praticamos a respiração diafragmática. Assim que entramos na escola, passamos a ser confrontados com o medo. Nós prendemos a respiração e depois voltamos a respirar muito superficialmente. E, assim, seguimos respirando superficialmente, pelo resto de nossa vida. Todos os mamíferos, peixes e crocodilos praticam a respiração diafragmática. Será que eles sabem de sua fonte da juventude e de seu médico interior?

A maioria das pessoas subestima nitidamente a importância da respiração. Elas não percebem que a respiração desempenha um papel decisivo, não apenas na meditação Cosmic Power®. Ela também é responsável pelo bem-estar geral, pelo fortalecimento do sistema imunológico e pelo ato de realimentação da consciência com os níveis espirituais de onde viemos e para onde, um dia, voltaremos.

Quando pergunto para os participantes do seminário sobre sua respiração básica – se ela é rápida, devagar, profunda, equilibrada ou irregular – a maioria não consegue me dar uma resposta. Eles simplesmente não desenvolveram nenhuma consciência de sua respiração, pois o corpo simplesmente respira, de forma totalmente independente. É precisamente por isso que não temos de nos preocupar com a respiração e que raramente prestamos atenção à forma da nossa própria respiração. Isso porque ela realiza o seu grande desempenho e trabalho de forma autônoma e sem ser observada em segundo plano.

A maioria das pessoas não sabe que a própria respiração é um instrumento complexo e altamente eficiente, que também pode ser aplicada de maneira bem objetiva, com imensos efeitos positivos. Muitos simplesmente pressupõem que a respiração nada mais é do que a entrada de oxigênio do ar para os pulmões.

4.1 A acoplagem

A seguir, ofereço as instruções para uma **meditação respiratória**.

4.1.1 As regras

Aprenda a se disciplinar internamente e a aderir a uma certa regularidade. Se quisermos realmente modificar algo na vida, então, precisaremos completar um ciclo inteiro de 40 dias, no qual meditaremos três ou quatro vezes ao dia. Isso significa: você se sentirá incomodado, se não meditar e sentirá que lhe falta algo essencial.

Se ficar um dia sem meditar, o ciclo é interrompido. Isso significa que terá de recomeçar o processo e partir, outra vez, do dia um, para poder progredir. Essa forma de respiração pode ser utilizada antes ou durante uma conversa importante, por exemplo, em situações que nos pareçam difíceis ou sem solução.

4.1.2 A técnica

Antes da meditação, eu ajusto o meu relógio interno. Tudo o que ultrapassa 40 minutos é sono, e não meditação. A respiração deve ser praticada por tanto tempo, até que esteja internalizada por completo. Treinar a respiração e fazer experiências pessoais com isso.

Por meio da respiração consciente, acionamos nossos sete centros energéticos e desativamos o sistema nervoso simpático.

Os centros energéticos girarão de acordo com a própria rotação.

Não se deve fazer nenhuma influência consciente! Devemos estar sempre conscientes do fato de que a respiração é essencial para preservar a vida. Nós podemos ficar sem comer, sem beber, mas nunca ficar mais do que cinco minutos – dependendo da atividade esportiva – sem respirar. Do contrário, corremos riscos de sofrer danos cerebrais graves e irreversíveis.

a) Exercício de respiração

Agora preste atenção, de maneira bastante consciente, em sua respiração sem, porém, alterá-la:

- Como você está respirando?
- Profundamente,
- Rasamente ou
- Regularmente?
- Quanto tempo duram as inspirações?
- Quanto tempo duram as expirações?
- Conte.

Agora, feche seus olhos e foque em sua respiração por cerca de dois minutos. Permaneça agora apenas como observador de sua própria respiração. Para ajudar a perceber melhor, você pode também colocar uma mão no seu ventre superior.

De fato, depende da sua capacidade de avaliar, de forma adequada, a sua respiração. Isso só é possível se você conseguir observá-la atentamente.

b) Como está a sua respiração?

Observe-a bem atentamente, pois a observação, assim como a avaliação e a percepção de sua respiração são o primeiro passo de um longo caminho que leva a uma expansão de consciência.

Esse caminho conduz, mediante a nossa própria alma, a outras dimensões ainda desconhecidas. Pela respiração consciente, podemos iniciar uma reconexão à nossa origem, com sua total plenitude por meio do vazio. Como isso é possível? Porque a respiração é o tema mais central para aprender e utilizar Cosmic Power®.

A respiração consciente de Cosmic Power® pode ser caracterizada como o redutor de stress número um. Está cientificamente comprovado que a respiração abdominal consciente e concentrada desencadeia uma ação instantânea em todo o corpo e regula a hiperatividade do sistema nervoso simpático. A absorção intensa de oxigênio reequilibra o sistema nervoso parassimpático com o sistema nervoso simpático.

Os modos de fuga e de luta são considerados supérfluos. À medida que o abdômen sobe e desce, o diafragma é empurrado para baixo, na inspiração, e para cima, na expiração. Isso enche os pulmões com bastante oxigênio, o que, por sua vez, leva a um alívio imediato do coração e da pressão arterial.

Essa forma de respiração Cosmic Power® é muito mais saudável. Ela também contribui para o relaxamento, que por sua vez normaliza o stress e a pressão arterial; estimula a digestão; fortalece o diafragma, assim como o assoalho pélvico; e protege contra a incontinência e doenças da próstata. Sob nenhuma circunstância devemos esquecer que nosso cérebro está localizado em nossa barriga. Essa conexão barriga-cérebro é subestimada pela maioria das pessoas porque a desconhecem.

Para aqueles que querem alcançar esses resultados conscientemente, é absolutamente importante respirar pelo nariz, com a boca fechada. Isso permite que os pulmões e a cavidade abdominal sejam preenchidos com oxigênio ao máximo. Essa técnica de respiração Cosmic Power® exige concentração e consciência. Dessa forma, instaura-se também uma conexão com o Cosmos.

c) Como é realizada a respiração consciente?

Retire os óculos (se houver) e sente-se de forma ereta e confortável;

Pés ligeiramente afastados e em um ângulo de 90 graus em relação ao chão e palma das mãos sobre as coxas;

Para melhor concentração, feche os olhos e tente focar em seu centro corporal;

Após cerca de 20 segundos, com a boca fechada, inspire pelo nariz, por 4 segundos, mais ou menos, assim o ar é aquecido e já purificado;

Sem segurar o ar, deixe-o sair devagar pela boca levemente aberta;

Para um melhor centramento, é útil focar com olhar suave em um ponto à altura dos olhos. Nesse processo, os olhos devem estar totalmente relaxados;;

Só com esses movimentos respiratórios conscientes, já se instaura a calma e o relaxamento por meio da distensão do sistema nervoso.

Toda meditação Cosmic Power® deve ser introduzida e iniciada com esse tipo de respiração. Nesse ponto, não faz diferença se você está sentado em uma cadeira ou em posição de Lótus. Você também pode usar um travesseiro para apoiar sua lombar.

d) Mais um exercício

Sente-se ereto em uma cadeira, sem apoiar as costas nela;

Encontre uma posição confortável para você. Impreterivelmente, você deve certificar-se de que as vértebras encaixam-se com precisão umas sobre as outras, para que você possa fazer sua meditação, por 10 minutos, sem dificuldade, de maneira relaxada e sem qualquer esforço;

Você pode colocar as duas mãos sobre as coxas, com as palmas para baixo ou para controlar melhor a respiração guiada Cosmic Power®, recomendo colocar uma mão na parte inferior do abdômen;

Coloque a outra mão sobre sua coxa. O polegar e o indicador tocam-se, os dedos restantes permanecem esticados. Dessa forma, você apoia com um mudra. Essas são posições de dedos que têm uma influência positiva sobre o corpo e sobre a mente;

É particularmente importante notar que toda meditação e todo exercício respiratório devem sempre começar com uma expiração pela boca ligeiramente aberta, todavia, sem inalação prévia;

Quando você, então, inalar profundamente pelo nariz, com a boca fechada, certifique-se de que o peito e, depois, o abdômen encham-se, ao máximo, de oxigênio, e elevem-se;

As primeiras cinco respirações Cosmic Power® são feitas de forma controlada e consciente.

Quanto mais presente você estiver, mais fácil será aprender essa técnica de respiração. Você pode usar essa respiração Cosmic Power® a qualquer momento, mesmo sem meditação. Logo você vai perceber que o resultado não deixa nada a desejar.

Existem inúmeras outras técnicas de respiração, que também trazem bons resultados, mas a respiração Cosmic Power® leva você a outra dimensão e a outro nível.

Na verdade, você precisa de uma boa dose de disciplina. Ela leva, por sua vez, ao esquecimento do ego e, ainda mais, ao esquecimento da própria personalidade.

Por meio da respiração e do foco, ocorre uma conexão com outros campos e com amplos níveis de consciência do Universo.

e) Exercício de respiração consciente

Primeiro, de forma espontânea, expiramos profundamente, sem inspirar antes. É assim que nos libertamos dos dissabores reprimidos e de tudo o que é negativo. Comecemos, então:

1. **Fique feliz com você mesmo e sorria com todo o seu rosto;**
2. **Espontaneamente, exale, de maneira silenciosa e profunda, pela boca ligeiramente aberta. Expire ao máximo, até que o abdômen e os pulmões estejam completamente vazios;**
3. **Com a boca fechada, inspire pelo nariz até as pontas dos pulmões, de modo que o tórax expanda-se lateralmente e para fora;**
4. **Com as palmas das mãos, você pode examinar sua região abdominal;**
5. **Mais uma vez, expire, com a boca levemente aberta;**
6. **Novamente, com a boca fechada, inspire profundamente pelo nariz, com o ar passando pelos pulmões e descendo até o diafragma.**

Deve-se estabelecer um ritmo uniforme. Por favor, preste bastante atenção: ao inspirar, o tórax eleva-se, o abdômen e as costelas expandem-se para as laterais... Continuamos com essas respirações bem conscientes, até que uma reação torne-se perceptível em sua cabeça. Uma resposta do corpo será a leve sensação de calor na garganta. Isso sinaliza que a falta de oxigênio foi sanada. Nosso olhar fica bem relaxado. Abaixamos ligeiramente as pálpebras, de modo que tenhamos um olhar com um ângulo de 180 graus.

7. **As respirações devem ser repetidas, pelo menos, cinco vezes.** Os olhos sustentam o olhar bastante relaxado. Eles estão serenos e suaves. Para controle e suporte, ambas as mãos ficam ou sobre o abdômen ou sobre o arco costal lateral. Isso contribui para a observação da elevação e descida das cavidades do abdômen e do tórax.

4.2 A meditação

Para realizar a meditação, encontre o lugar certo, onde você possa meditar sem distrações. Nesse momento, qualquer outra atividade pode e deve esperar. Completamente sozinho, você se presenteia com o tempo para se conectar, por meio da respiração consciente, com a energia cósmica abrangente. Por meio do seu CBEM, você se conecta com o seu duplo na matriz. Esse é o holograma da matriz primordial, ou seja, o plano do Criador.

Já com a decisão de meditar agora, você passa a transmitir uma frequência muito específica. Todo o restante deve ficar para as outras forças. As respirações subsequentes e muito conscientes sincronizam-se com essa frequência.

Ocorre um tipo muito especial de conexão com o Universo e essa conexão pode mudar nossos estados de consciência. Voltamo-nos para o nosso duplo e, ao mesmo tempo, para a força que tudo abrange. Àquele que bate à porta vez por outra, ela será aberta.

Só a prática leva à maestria. Com certeza, os pensamentos irão divagar em algum momento. Ou, então, são ruídos que te distraem. Ou, então, fica calor demais ou frio demais, de repente. Ou alguma coisa fica incomodando. Ou, então, o próximo compromisso faz seus pensamentos girarem em círculos. Com certeza, alguma coisa haverá de surgir.

A divagação não é, em si, trágica, ela é, até mesmo, bem-vinda. Isso dá ensejo a boas chances de treinamento. Só é importante não se deixar levar totalmente pela distração. Não é forçosamente necessário reagir a isso. Nesse momento, não se exige nada além de respirar – nem falar nem pensar. Simplesmente respirar e observar.

Por meio da prática disciplinada, vários benefícios surgirão, mais cedo ou mais tarde:

- A criatividade aumenta;
- A concentração aumenta;
- A mente acelerada para;
- Redução do estresse em segundos;
- Reconhecer a dor, mas sem deixá-la assumir o controle;
- Alívio mental, espiritual e físico;
- A serenidade do coração pode ser experimentada;
- A mente e o corpo estão mais relaxados e mais eficientes;
- Primeiro passo para iniciar um processo de tomada de consciência.

Tudo isso aqui não é uma promessa, mas uma possibilidade e uma oferta para tornar-se um cocriador da própria vida e estar no universo.

4.3.1 *Feedback* **de participante de um seminário de Cosmic Power®**

Desde que eu participei de um curso de Cosmic Power®, todas as manhãs reservo, pelo menos, dez minutos para minhas práticas de respiração. Sinto uma profunda e infinita sensação de paz e, ao mesmo tempo, sinto-me tomada por uma realidade suave, na qual me sinto completamente desperta, de uma forma tão desperta como jamais senti. Também consigo sentir uma intensa conexão com a natureza, com as flores, com as árvores, enfim, com tudo o que faz parte dela. Um novo e positivo hábito de observar o mundo ao meu redor passou a fazer parte do meu dia a dia. Desde então, a vida tem sido mais intensa e bela para mim.

Todas as vezes que me encontro em situações difíceis, ouço internamente a voz de Sophie, no seminário de Cosmic Power®, dizendo: "Quando estiver passando por algum problema, lembre-se de que isso pode ser algo muito importante para seu crescimento interior. Sorria, expire, siga respirando calmamente e permita que algo novo, ainda que desconhecido, preencha esse espaço vazio. Embora desconhecido, é realizador. Eu me espanto, sempre funciona."

Resumo

1. ***O ser humano está cercado por um campo bioeletromagnético, o corpo energético. Esse corpo bioeletromagnético, ou CBEM, pode ser sentido, medido e visualizado com dispositivos sensíveis adequados;***
2. ***Com a prática de Cosmic Power®, o contato com o CBEM é estabelecido e mudanças a nível material e sutil tornam-se possíveis;***
3. ***"No princípio era a palavra". A nossa comunicação exterior e interior ("diálogo interior") é sensibilizada. Com a ajuda de Cosmic Power®, recebemos respostas a questões da nossa vida que seriam inconcebíveis em uma consciência normal;***
4. ***A meditação Cosmic Power® e a respiração consciente influenciam e melhoram a função do nosso pensamento (razão) e do nosso sistema nervoso;***
5. ***Estes, por sua vez, controlam nosso sistema imunológico, nossa circulação, nosso cérebro, nossa memória e muito mais;***
6. ***Nós já não curamos o nosso corpo e cuidamos dele a nível de diagnóstico, de terapia e de aplicações individuais, mas sim a um nível meta-abrangente.***

Notas pessoais

V

Os centros energéticos

Em Cosmic Power®, partimos do princípio de que todas as pessoas têm sete centros energéticos principais e centenas de centros energéticos secundários. Os centros energéticos estão alinhados desde o primeiro centro de energia, localizado na região sacral, até o topo da cabeça. Eles também são chamados de chacras. Essa palavra vem do sânscrito e não significa nada mais do que "roda girante", "disco" ou "círculo". Os centros energéticos são os pontos centrais nos quais a energia do nosso organismo é gerenciada de acordo com um conhecimento primordial. Nossos centros energéticos sugam energia e a liberam novamente do lado oposto. Nos últimos anos, o termo chakra vinha sendo mal utilizado, mas com a mudança de consciência no mundo, a atitude em relação a isso mudou novamente.

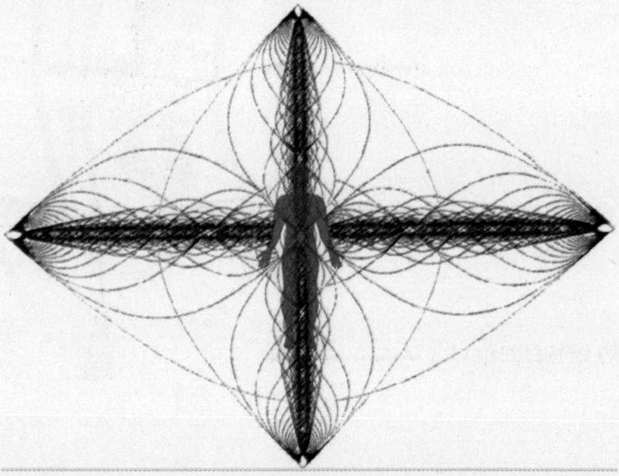

Com Cosmic Power®, aprendemos a utilizar nossos centros energéticos de maneira consciente. Cada centro de energia está conectado a órgãos, sentimentos, atividades e qualidades internas muito específicos. Dependendo dos traumas que vivenciamos ou que herdamos de nossos ancestrais, nossos centros de energia podem estar desalinhados, bloqueados ou menos ativos.

5.1 Local e função dos centros energéticos

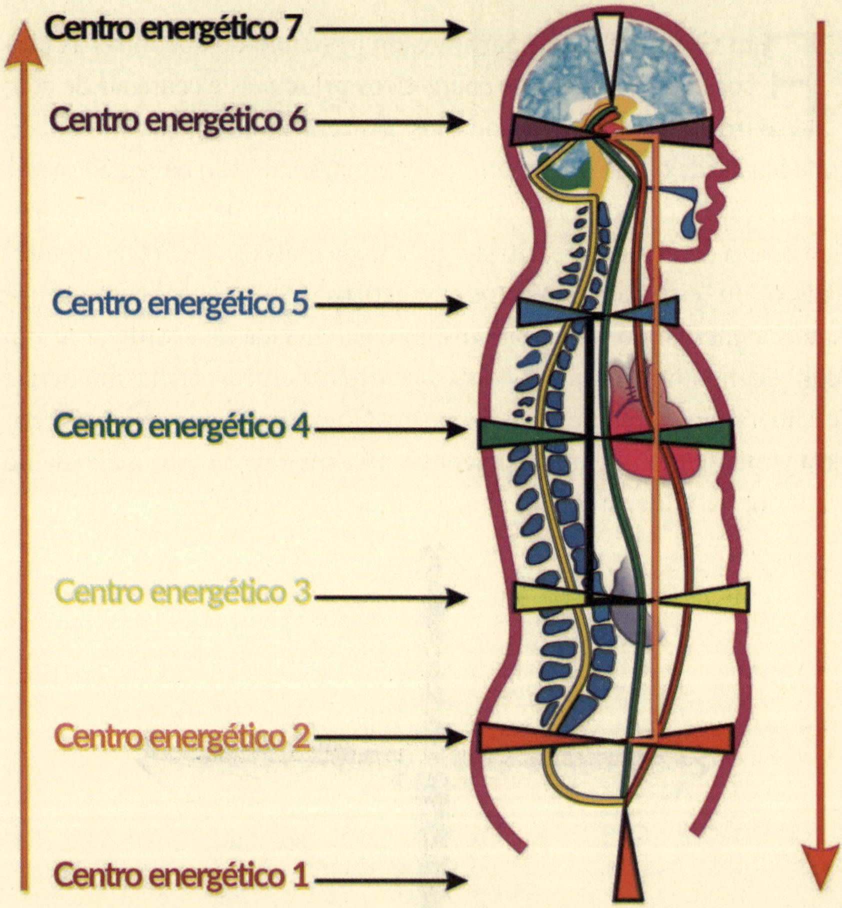

5.1.1 Centro Energético 7

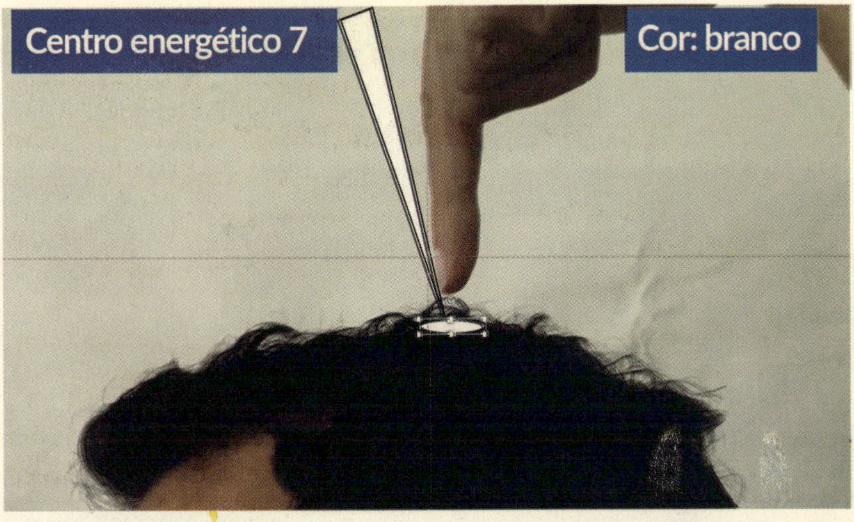

Responsável por:

- Ossos, músculos, tendões;
- Ligamentos, articulações, cartilagem;
- Dentes, língua;
- Cabelo;
- Unhas;
- Sistema nervoso;
- Cérebro;
- Músculos dos olhos, nervos oculares;
- Nervos auditivos;
- Hemorragia;
- E em caso de dores de todos os tipos.

Glândula: epífise, também chamada glândula pineal, controla o ritmo sono-vigília.

No Centro Energético 7, há uma conexão com a fonte original do ser. Esse é o nosso principal centro energético, onde todas as informações fluem juntas.

EM SITUAÇÕES EMERGENCIAIS sempre em combinação com o Centro Energético 6.

5.1.2 Centro Energético 6

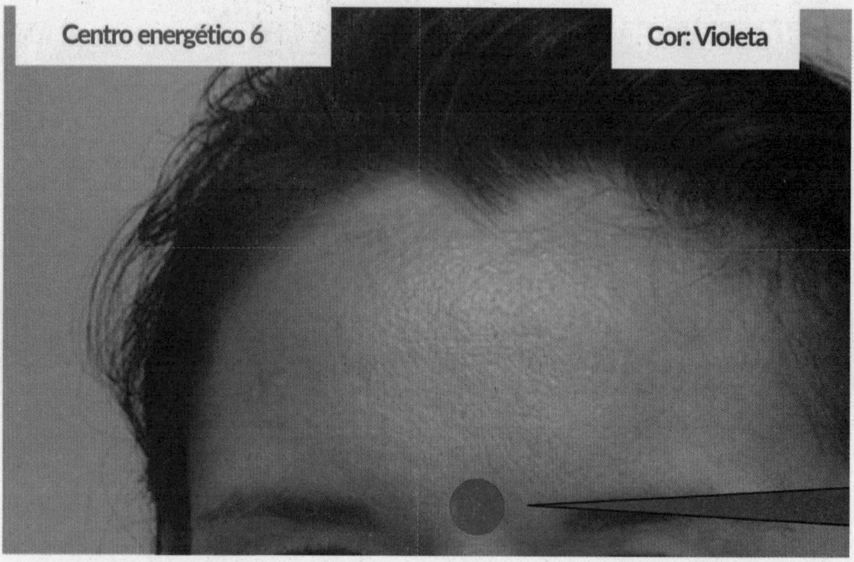

Responsável por:

- Intuição, clarividência, clariaudiência, clarissenciência;
- Ajuda em caso de perda de memória, enjoos, distúrbios de concentração.

Glândula: hipófise.

O Centro Energético 6 influencia nossa glândula pineal. Ele se localiza entre os dois hemisférios cerebrais e é responsável, segundo a ciência, pelo nosso potencial místico e intuitivo, bem como pela sabedoria espiritual. Sua influência estende-se aos nossos ciclos de vida mais profundos, como sono e descanso, paz e felicidade.

O Centro Energético 6 deve ser tocado somente em combinação com o Centro Energético 7!

ATENÇÃO: em crianças, deve-se fazer a imposição de mãos por, no máximo, 1 ou 2 minutos! Em adultos, realizar a imposição de mãos por, no máximo, 5 dias seguidos!

5.1.3 Centro Energético 5

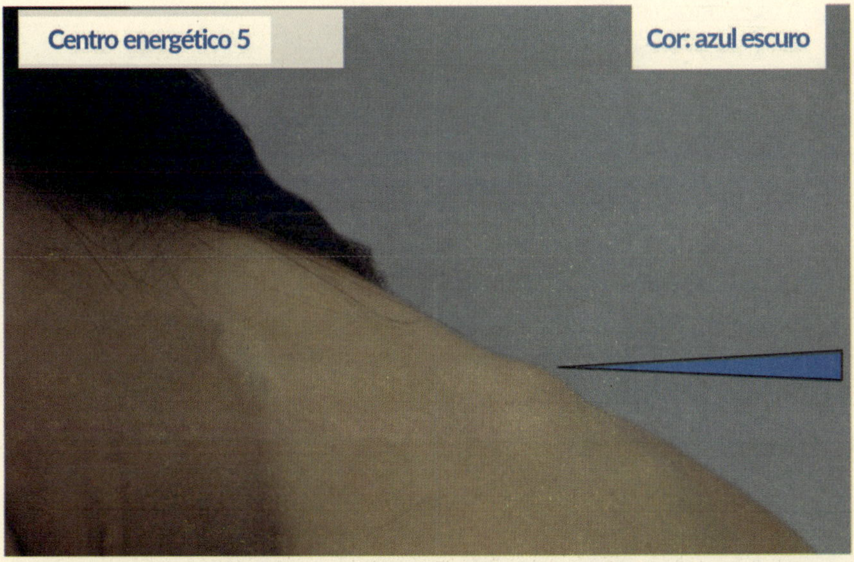

Responsável por:

- Olhos e visão, nariz e olfato, ouvidos e audição;
- Boca, voz e paladar;
- Garganta, seios paranasais;
- Amígdalas;
- Cordas vocais;
- Traqueia;
- Brônquios;
- Pulmões;
- Diafragma;
- Esôfago;
- Pele;
- Controla a respiração;

Glândula: tireoide.

ATENÇÃO: retirar aparelhos auditivos antes do toque.

5.1.4 Centro Energético 4

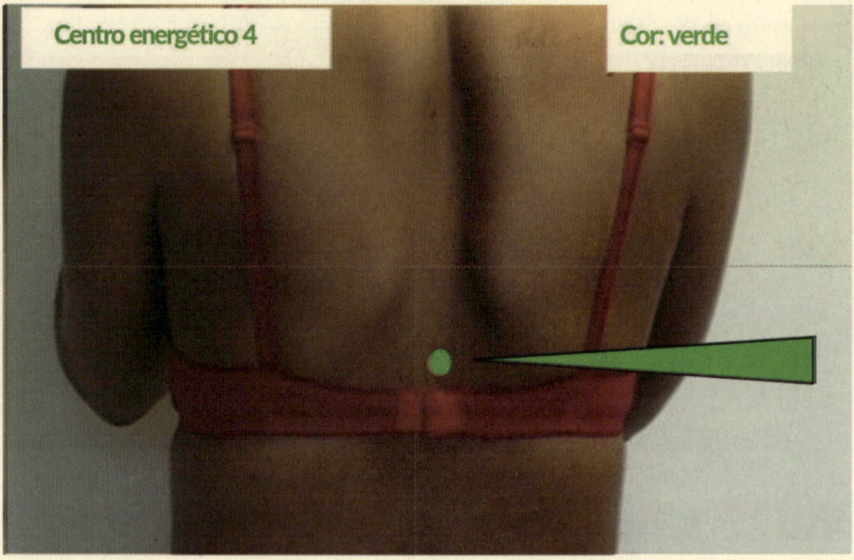

Responsável por:

- Sistema cardiovascular, coração – circulação – sangue, vasos sanguíneos: artérias, veias, vasos capilares;
- Regula a pressão arterial;
- Sistema linfático;
- Sentimentos.

Glândula: timo.

ATENÇÃO! Exceção: em portadores de marca-passos, o Centro Energético 4 não deve ser tocado.

5.1.5 Centro Energético 3

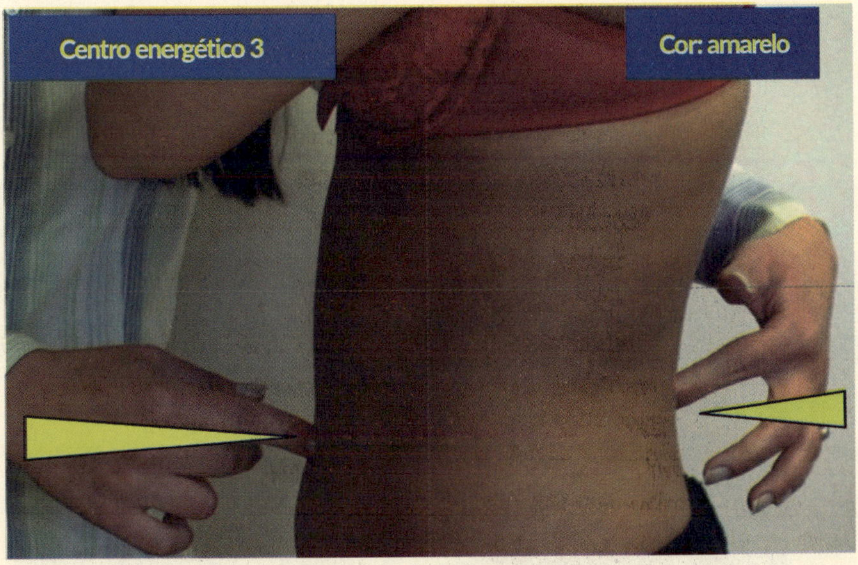

Responsável por:

- Sistema digestivo;
- Estômago;
- Baço;
- Fígado;
- Processamento sanguíneo;
- Vesícula biliar;
- Pâncreas;
- Intestino;
- Rim;
- Bexiga;
- Ureter;
- Uretra (apenas para as mulheres, no caso dos homens, pertence ao Centro Energético 2).

Glândula: pâncreas.

5.1.6 Centro Energético 2

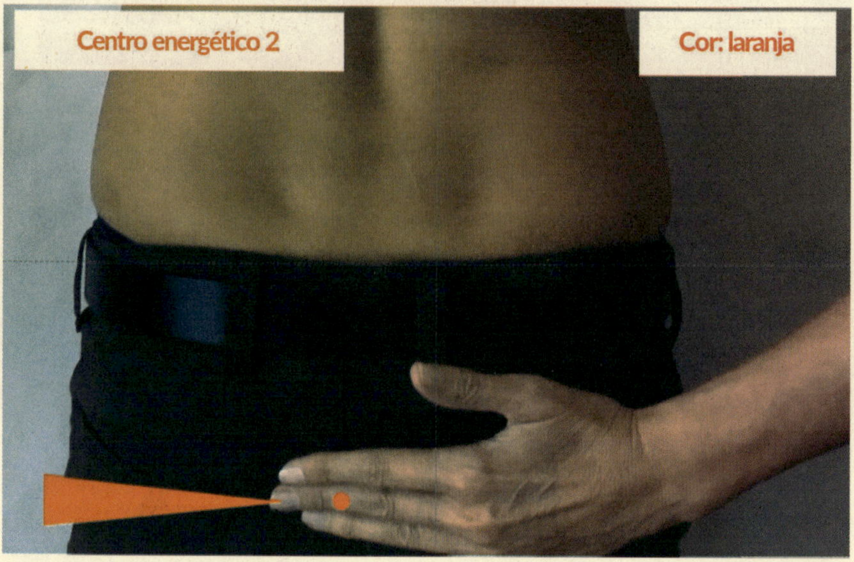

Responsável por

- Sistema reprodutivo;
- Órgãos genitais masculinos: próstata, testículos, pênis e uretra (só em homens);
- Órgãos genitais femininos;
- Ovários, trompas de Falópio, útero, vagina;
- Regula o ciclo menstrual.

Glândula: gônadas (homem: testículos, mulher: ovários).

ATENÇÃO: não tocar o Centro Energético 2 em crianças, adolescentes nem em mulheres grávidas.

5.1.7 Centro Energético 1

Glândula: Suprarrenais ou adrenais.
Não é contemplado por Cosmic Power®.
ATENÇÃO: não tocar o Centro Energético 1.

Resumo

1. *Os 7 chacras – nossos centros energéticos;.*
2. *Cosmic Power® parte do princípio de que cada pessoa tem sete centros de energia principais e centenas de centros de energia secundários. Os centros de energia principais são também chamados chacras;*
3. *Cada centro energético está conectado a órgãos, sentimentos, atividades e qualidades internas bem específicas;*
4. *Por meio de nossos ancestrais e de nossa própria história de vida, nossos centros energéticos podem estar desalinhados, bloqueados ou menos ativos;*
5. *Pela imposição de mãos, quando a pessoa que a realiza está em estado de Cosmic Power®, esses bloqueios podem ser liberados e o fluxo de energia pode ser normalizado.*

Notas pessoais

VI

Separados e unidos

6.1 O eterno

O eterno, o infinito, atua em nós de maneira diferente da que seria de se esperar. É, ao mesmo tempo, presente e inexplicável. Falamos de eternidade como se soubéssemos o que ela é. Sem, todavia, ter a menor ideia do que seja a eternidade. Não podemos entender a eternidade. Na verdade, nenhum único pensamento sequer pode nos conduzir a esse plano. Quando falamos de eternidade, referimo-nos ao seu início, que podemos imaginar, mas não à sua totalidade. Há sempre algo que continua e prossegue.

6.2 Energia

O mesmo aplica-se à energia. O termo "energia" descreve diferentes tipos de força, mas não a essência da energia em si. Sobre ela, só podemos formar uma ideia. Na realidade, por si só, o termo "energia" não significa nada, não tem significado nem validade. Contudo, por todos os lados, fala-se sobre geração e aumento da energia. Em última análise, trata-se apenas da ideia de força e de uso de energia na vida cotidiana. Em Cosmic Power®, em invés disso, queremos alcançar um nível em que todos possam converter e transmitir energia. Isso significa que partimos de uma causa que provoca uma reação. E, às vezes, a reação vem antes da causa.

6.3 Causa e efeito

Todos sabemos da relação entre causa e efeito. Se nos apoiarmos nas leis científicas, então, a energia também deve ter uma causa e um efeito. Certo? Ou é apenas uma maneira de pensar?

Na medicina e na psicologia, sempre buscamos as causas e, assim, tornamo-nos mestres em combatê-las. No entanto, acredito na mudança dos tempos e, consequentemente, no reconhecimento da capacidade de realmente mudar algo em nós mesmos. Parece que as causas da mudança estão silenciosamente presentes no cosmos há muito tempo, mas também no microcosmo do nosso ser interior e no macrocosmo.

As causas deixam, atrás de si, sinais, chamados sintomas, ou serão talvez os efeitos? Vamos supor que a energia é a causa. Qual seria, então, o sintoma que ela deixa como rastro no seu caminho? E se, por outro lado, as causas estivessem ativas há muito tempo, mas passassem despercebidas e silenciosas no cosmos e no microcosmos do nosso ser interior?

6.4 Sorrir, a arma invencível

Muitas vezes, nossa mente experimenta uma separação do corpo. É nossa tarefa suspender essa ruptura. Mas como? Com o sorriso. Sorrimos para dizer ao nosso corpo: "Estou voltando. Estou voltando com reconhecimento". Quando a alma está tranquila, o corpo também fica tranquilo. Quando um conflito assola-nos por dentro e, mesmo assim, sorrimos, o adversário fica irritado. Por meio da respiração consciente, podemos encontrar novamente a sintonia. O separado sempre busca um caminho e uma possibilidade para voltar à unidade.

Aquilo que é separado busca a unidade que foi perdida, a sua totalidade. Não há nada de errado com isso, mas qualquer separação deixa-nos com um sentimento de instabilidade e, inclusive, de não sermos amados. Sentimo-nos rejeitados. Por isso, devemos, no mínimo, ser prestativos e gentis com nós mesmos. Com a força de nossa respiração e de nosso sorriso, podemos restaurar rapidamente nosso equilíbrio interno e nossa alegria. Sorrindo, concentramo-nos em inspirar e expirar, para trazer à superfície o conflito que temos dentro de nós. Passamos as pontas dos dedos ao longo da parte inferior da caixa torácica e colocamos as palmas das mãos na parte superior e inferior do abdômen.

6.4.1 *Feedback de participante de um seminário de Cosmic Power®*

No trabalho em grupo, minha frase foi: largar tudo o que é velho e seguir com a experiência da nova energia. Agora, isso é muito perceptível para mim. Agora, a nova energia já é muito forte e pode ser sentida com mais força, a cada dia. A transformação está totalmente presente. Ela me desafia, sempre de novo, a abandonar o meu ego e ao ego daqueles que querem me segurar aqui, para permanecer na nova energia. Os conhecidos e parceiros de negócios também sentem em mim essa pressão por mudanças. Eles ainda estão presos no sistema e não querem que eu saia dele. Eles ainda não percebem que isso não pode continuar assim. É como mudar entre dois mundos, em que ainda sinto fortemente o antigo, embora só queira ficar no novo.

Feedback de participante de um seminário de Cosmic Power®

G. Sharipova, cardiologista do grande centro cardiológico nacional em Kazan, acompanha pacientes antes da cirurgia cardíaca. Ela relata:

Conheci Cosmic Power® em julho de 2018. Desde então, pratico-o com disciplina, meditando três vezes ao dia e respirando conscientemente, mas eu não toco nos centros energéticos de meus pacientes.

Com Cosmic Power®, milagres incríveis estão acontecendo agora na minha vida e na minha profissão – não apenas em relação a mim, mas também aos meus pacientes. Sorrio para eles, falo com eles, seguro a mão deles e respiro bem conscientemente junto com eles. Desde julho de 2018, não houve uma única morte entre meus pacientes. O tempo de reabilitação, após uma cirurgia, foi reduzido de uma média de doze para sete dias.

Quando os pacientes com hipertensão estão ligados ao equipamento de medição e eu entro na sala sorrindo e concentrada, a pressão arterial deles normaliza-se. Você pode assistir a isso maravilhosamente no monitor de controle. Agora, meus colegas todos sabem disso. Eles costumam me perguntar se eu não posso ficar com os pacientes deles durante a medição, para que a pressão arterial deles normalize-se.

Existem muitos relatórios de cura incríveis dos meus pacientes. Aqui está apenas um deles: A paciente tinha 70 anos e deu entrada no hospital, em estado de risco de vida. O ultrassom mostrou uma estenose 74, isto é, um estreitamento dos vasos sanguíneos e de outros órgãos ocos. Ela deveria ter sido operada imediatamente. Contudo, devido às graves condições em que se encontrava, não foi possível realizar a cirurgia naquele momento. Durante o tempo de preparação para a cirurgia, mantive contato diário com a paciente. Conversamos muito uma com a outra. Eu sorri muito conscientemente, ainda mais, e conduzi meus exercícios de respiração ao lado dela. Ela se acalmou rapidamente.

Depois de sete dias, durante os quais ficamos cuidando dela até que ela pudesse ser operada, o professor responsável solicitou um ultrassom de controle. Surpreendentemente, apenas uma estenose 34 foi diagnosticada. Como uma recuperação desse quadro por si só é impossível, a verificação por ultrassom foi repetida. Por fim, o resultado: estenose 17! Com esse valor, uma cirurgia não é mais necessária.

O professor chamou uma equipe e deixou que a paciente fosse examinada por vários médicos. Em seguida, um novo ultrassom de controle foi realizado. O valor da estenose verificado foi de 9,1. A doença estava completamente curada. A paciente recebeu alta após 18 dias. Do ponto de vista médico, essa cura foi e é inexplicável. No entanto, como as outras "curas milagrosas", ela está totalmente documentada.

Resumo

1. *Em Cosmic Power®, o termo "energia" é interpretado de forma que, com a prática apropriada, podemos receber, transformar e transmitir uma (a!) energia cósmica;*
2. *Sorrir, um milagre da natureza;*
3. *Com Cosmic Power®, assumimos um mecanismo de causa-efeito que, no entanto, também pode ocorrer de maneira inversa, ou seja, efeito ANTES da causa;*
4. *A separação do corpo e da mente, frequentemente vivenciada, pode ser superada. O que está separado sempre busca o caminho para a unidade. Com um sorriso e uma respiração consciente, encontramos de volta nosso equilíbrio interior e nossa alegria.*

NOTAS PESSOAIS

VII

Seu aplauso inteiramente pessoal: nossas mãos – um grande bem

7.1 A prática

Ofereço aqui algumas **instruções** para aplaudir:

Imagine o seguinte: você conquistou tanta coisa em sua vida até agora. Cabe a você aplaudir-se por tudo o que fez. Você está à sua frente, olha para si mesmo e alegra-se com sua imagem.

Imagine: agora, você aplaude a si mesmo e, ao mesmo tempo, a seus órgãos, para estimulá-los e agradecê-los por tudo o que eles têm feito por você até hoje. A postura interna apropriada e o sentimento de gratidão irão mudar a sua vida. Aquela pessoa que aplaude com muita cautela e calma, diz para si mesma: "Está tudo bem, de alguma forma". Não há fogo de gratidão queimando em você. Pelo que devo agradecer?

É por isso que, em Cosmic Power®, após o aplauso, as mãos devem estar quentes e vermelhas. Assim, a energia flui e os bloqueios energéticos são atingidos e chacoalhados. Quanto mais você aplaudir a si próprio, mais bloqueios são liberados, os quais, por sua vez, transformam sentimentos negativos em positivos.

Sophie Hellinger, para o grupo: Eu convido todos a participarem, a fim de vivenciarem por si mesmos essa experiência. Quem utiliza óculos, por favor, retire-os! Os óculos bloqueiam importantes pontos de energia no nariz e atrás das orelhas. Quando estamos em contato com tudo o que existe por meio de um sorriso largo e da respiração consciente, não precisamos dos nossos olhos físicos. Vamos lá:

Sophie Hellinger começa a bater palmas. Seu olhar é suave. Ela saltita no lugar. Depois de cinco minutos, leva as palmas das mãos cuidadosa e vagarosamente até a cabeça e, então, abaixa as mãos novamente. Elas movimentam seu corpo energético. Isso dura cerca de dez minutos, sem pausa. Em seguida, ela coloca as duas mãos sobre o coração. Depois, posiciona as mãos em frente ao peito como se fosse rezar e as movimenta lentamente, divertidamente, separando-as e unindo-as novamente. Em seguida, ela junta as palmas das mãos e afasta-as delicadamente, como se quisesse criar uma forma entre as mãos e, depois, junta-as outra vez. Em seu rosto há um sorriso largo. Ela continua brincando com energia como se esta fosse uma bola que ela visualiza entre as mãos. Por fim, ela coloca uma mão no umbigo e, depois, sobre essa mão, ela coloca a outra. Respirando conscientemente e sorrindo.

Sophie Hellinger: Vale a pena sensibilizar-nos a fim de sentir a energia. Isso traz a vantagem de conseguirmos sentir imediatamente, antes de tocar em algo, se aquilo é bom para nós ou não. As mãos devem ficar quentes e vermelhas; daí, a energia flui novamente. Cem segundos de sorriso consciente e aplauso intenso dão aos nossos órgãos tanta energia quanto alguns minutos de ginástica intensa. Com isso, energizamos os meridianos e desobstruímos os canais de energia. A energia está fluindo e, agora, estamos levando o Chi (Qi) de volta ao nosso umbigo. Conscientes, por meio do nosso umbigo, conectamo-nos gratos, em nossa imaginação, com nossos ancestrais, por toda a eternidade. Mulheres colocam primeiro a mão esquerda sobre o umbigo, os homens colocam a mão direita. Então, ouvimos sorridentes o nosso interior. Mantemos esse silêncio por cerca de 5 minutos.

Sophie Hellinger, com as mãos ao lado do corpo, estende-as lentamente em direção ao céu e, na altura dos ombros, vira a palma das mãos para cima. Como se estivesse segurando algo sobre a cabeça. Esse é um movimento de Qi Gong bastante conhecido.

Sophie Hellinger: O fim de nossos canais de energia, nas pontas dos dedos e nos dedões dos pés, estendem-se, como antenas de alcance infinito no universo. Nossas costas devem estar totalmente retas. A energia sobe pelas costas, passa pelos pés e volta para o chão, e das mãos, em um ciclo, passa pelo Centro Energético 7, no topo da cabeça, e volta para o corpo. O olhar é direcionado suavemente para a frente. O pescoço está completamente ereto! O rosto sorri. Expiramos, sorrindo, com a boca aberta, e inspiramos, profundamente, pelo nariz, até encher completamente a cavidade torácica. Ao máximo! Com isso, a caixa torácica e a barriga expandem-se, as costelas dão espaço para o ar inalado, para que o diafragma possa expandir-se ao máximo. O coração ganha espaço e o corpo inteiro, oxigênio. Expiramos com a boca aberta.

Agora ela vira ligeiramente as mãos de modo que, ao expirar, as palmas fiquem voltadas para baixo e pressionem um objeto invisível.

Sophie Hellinger: Permanecemos assim com as mãos. Sentimos a conexão dos nossos meridianos, dos nossos canais de energia, fluindo pela terra adentro. Com a boca fechada, inspiramos, sorrindo, a energia da terra novamente, até o tórax e a cavidade do abdômen. Damos especial atenção à expansão dos arcos costais inferiores. Ao máximo! E, com a boca ligeiramente aberta, expiramos, sorrindo, novamente.

Soltamos todas as tristezas e preocupações, e deixamo-las fluir para a terra, com o pensamento de que, algum dia, toda carga será transformada e ficará novamente disponível para todos os seres humanos, como energia purificada. Olhar suave! Sorriso! Mantemos os olhos levemente abertos e sorrimos ainda mais. Dessa forma, tornamo-nos um elo entre o céu e a terra. A cada dia, tornamo-nos cada vez mais conscientes desse processo. Nós somos eternos e infinitos. Continuamos respirando conscientemente! Sorrindo!

Durante a expiração, mantemos a boca ligeiramente aberta. Ombros para trás, barriga para fora e prestamos atenção na expansão das costelas abaixo da caixa torácica, para que o nosso coração possa tomar seu espaço! Ao máximo! O olhar permanece suave! Sorrindo!

Agora, sentimos como as palmas das mãos estão. O que sentimos quando as movemos? Como nos sentimos quando olhamos para as palmas das mãos? Nosso destino está escrito nas palmas de nossas mãos, não em nossos dedos. As linhas de nossas mãos já são visíveis a partir da décima segunda semana, após a concepção. Tão cedo! Com a linha do coração e as linhas da vida, a palma da mão esquerda é particularmente significativa. Aqui, nossos relacionamentos, nossos filhos, deixaram sua marca. Tudo está em nossas mãos. E, então, há algo bastante surpreendente: assim que mudamos, as linhas das palmas das mãos também se modificam. Tudo se reflete nas palmas de nossas mãos. Portanto, é um gesto agradável para mim, quando aperto a mão de alguém, com a palma da minha mão voltada para cima. Porque isso significa: eu mostro a ele minha vida. E eu venho com boas intenções, desarmada, para oferecer paz. Então, quando aperto a mão de alguém, nosso destino une-se energicamente. Isso pode ser como um reconhecimento, quando estou consciente e atenta.

No exercício apresentado anteriormente, você deve pular como uma pena, como uma mola. Assim que eu deixo o chão, algo no meu corpo é estendido. Ao tocar o chão novamente, algo é comprimido. Essa movimentação estimula o pulso do corpo físico. Ninguém é velho demais para isso – desde que o deseje fazer.

Muitas pessoas levam a vida quase que em fogo brando, com poucas ações. No entanto, o fogo da vida está ardendo o tempo todo, enquanto estivermos vivos. Em toda chama, há movimento permanente. A energia vital e Cosmic Power® são um movimento eterno. Também não há nada no universo que seja estático. Somente aquilo que não se move tornar-se-á, de alguma forma, estático e o corpo também ficará rígido, se não o movermos. Ser rígido significa "NÃO".

7.2 Exercícios de estimulação

A seguir, uma **instrução** para aumentar o fluxo de energia:

Podemos nos sentar ou permanecer em pé. Devemos fechar os olhos. Queremos entrar em contato com nossos órgãos e enviar-lhes uma mensagem, sem utilizar os conhecidos exercícios de ginástica.

Para sentir melhor o corpo, fechamos os olhos. Cobrimos todo o rosto, com um sorriso. Nessa postura, percorremos nosso corpo, de cima a baixo. Nós o escaneamos, por assim dizer. Então, vamos sentir as palmas das mãos e as plantas dos pés. Conscientemente, sentimos os dedos das mãos e os dedos dos pés. Cada membro tem uma conexão muito específica com diferentes órgãos do nosso corpo. Nós começamos com os dedos mindinhos. Neles, de acordo com a eletroacupuntura, segundo Dr. Voll[1], também pode ser medida a atividade cardíaca. Conduzimos os exercícios de maneira concentrada. O fluxo de energia dos pontos do coração estimula e ativa o corpo inteiro.

Sem abrir os olhos, agora esfregamos os dedos da mão direita na unha do dedo mínimo da mão esquerda. Depois de cerca de um minuto, passamos para o dedo mínimo da mão direita e, também, para a ponta do dedo mínimo. Vamos conscientemente ativar essa parte do nosso sistema, nossa energia do coração. Isso é feito por meio do atrito, até que seja gerado calor suficiente. Então, sorrimos para dentro do nosso coração e escutamos pacientemente. Nosso coração dará uma resposta? O mais importante é escutar. Se seu coração não responder imediatamente, seja paciente e continue escutando. Dado um certo tempo e alcance, com seus movimentos, o exercício de estimulação sugerido deixar-nos-á felizes, embora seja sabido que, para ser feliz, você deve coordenar esse desejo com a vontade. A ativação prossegue quando persistimos fazendo com cada dedo da mão o que fizemos com o mindinho. Massageamos um dedo de cada vez, até terminar com todos os dez dedos. Coloque as mãos sobre a coxa e espere, escutando e sorrindo. Tenha paciência, em algum momento, seu coração responderá.

7.3 O sorriso é a chave para a estimulação e todas as outras conexões

Devemos iniciar esse exercício bem preparados e permitir-nos tempo suficiente. Para isso, alguns precisam de mais tempo de

---

[1] N. do T.: Desenvolvido pelo médico alemão Dr. Reinhold Voll (1909-1989), esse tipo de acupuntura é feito sem agulhas, valendo-se apenas dos meridianos utilizados pela acupuntura tradicional, que se estendem por todo o corpo.

treinamento, outros menos, até que, de maneira eficiente, entrem em contato com todos os dedos. O último dedo deve ser o dedo do coração, o dedo mínimo. Devemos nos dar tempo para esse exercício.

Esse exercício ajuda a sensibilizar nossas mãos como sensores e receptores de um canal. Elas formam uma ponte energética entre a energia do universo e sua própria energia interior.

7.4 Inspirar e friccionar

Às vezes, sentimos alguns de nossos dedos como algo frágil. Quando há uma deformação, é porque o nosso corpo já mandou sinais há muito tempo. É aconselhável cultivar pensamentos mais felizes e sorrir. Nesse caso, pode-se dizer o seguinte ao corpo e ao dedo: "Eu sinto muito que, até hoje, eu não estava totalmente consciente de sua função. Meu querido, você é a conexão com meu coração. Você representa meu mundo interior, no corpo, para o exterior. A partir de agora, estarei em contato contigo muito mais vezes. Somos Um. Sinto muito por ter te ignorado por tanto tempo."

Agora, soltamos todo o ar que temos dentro de nós, e, com a boca fechada, inspiramos profundamente pelo nariz. Depois, juntamos as palmas das mãos, na frente do peito, e esfregamos uma na outra. Muitas vezes e com bastante vigor, até que nossas palmas brilhem, para despertar a misteriosa energia de nossas mãos. Então, colocamos, em primeiro lugar, uma mão no coração e a segunda mão, sobre a primeira, com os olhos fechados e um sorriso no rosto.

7.5 O *rigor mortis* antecipado

Quando alguém morre, não fica imediatamente rígido. O *rigor mortis* leva um certo tempo para ocorrer. Às vezes, demora bastante e, para algumas pessoas, nunca acontece, como o que se passou com Bert. Segundo as minhas observações, essa diferença tem a ver com o fato de a pessoa, conscientemente, ter feito a passagem para a outra dimensão, sem medo, ou de a pessoa não conseguir soltar. Provavelmente, há muito mais fatores relacionados a isso sobre os quais nada sei.

Nesse sentido, outro ponto é digno de nota: no momento da morte, quando o coração para, os olhos – conhecidos como as janelas da alma – permanecem abertos, mesmo que antes eles estivessem fechados. Podemos, então, fechar os olhos do falecido, mas eles se abrirão novamente, mesmo que pouco. Essas são as minhas experiências nesse sentido. Para mantê-los fechados, é preciso segurar um pouco mais. Esse processo repete-se várias vezes.

Demora um tempo para que os olhos do falecido permaneçam fechados. Talvez, isso tenha alguma relação com a passagem do falecido para outra dimensão ou, também, com o seu medo do desconhecido. Ou os mortos veem, conscientemente, algo completamente diferente do que nós, os vivos? Se ninguém fechar os olhos deles, estes permanecem abertos. Existem, certamente, algumas exceções.

Ninguém, até agora, sabe nos dizer o que exatamente acontece quando morremos. Supondo que os olhos sejam as janelas da alma, talvez caminhemos para o outro plano, conscientemente. Podemos vê-lo com o terceiro olho. Ele se mostra a cada desfalecimento, aquela quase passagem. Mas, em última análise, só podemos imaginar o que o ser humano realmente é e quais capacidades possui. De qualquer forma, é um supercomputador – muito mais que uma máquina perfeita e ainda mais que todos os computadores do mundo juntos.

Resumo

1. *A respiração consciente é a chave, nossas mãos são a ferramenta;*
2. *Ginástica matinal instantânea pelo aplauso e pela esfregação de mãos. Com isso, eliminamos bloqueios e fortalecemos o fluxo de energia para nós e dentro de nós;*
3. *Cada dedo está conectado com determinados órgãos e nervos. Massageando cada nervo e a palma da mão inteira, energizamos nossos órgãos e partes do corpo.*

Notas pessoais

VIII

A lei do potencial puro

Cada pessoa tem uma certa ideia de si mesma, dos seus pontos fortes e fracos, das suas capacidades ou incapacidades. Somam-se a isso os valores e as atitudes herdados da família que ela deveria representar e gostaria de fazê-lo. Ao mesmo tempo, somos constantemente confrontados com diversas imagens externas. Na sociedade atual, é cada vez maior a pressão para conciliar a autopercepção e a percepção dos outros. Status social e sucesso profissional podem depender disso.

Afinal, aqueles que se superestimam, rapidamente, deparam-se com a rejeição. Por outro lado, aqueles que se subestimam, ficam aquém das suas possibilidades. Isso inclui, por exemplo, pessoas que sofrem da chamada "síndrome do impostor". Elas se sentem incompetentes e são incapazes de avaliar, realisticamente, suas habilidades. Embora essas pessoas executem profissionalmente suas tarefas, elas se sentem impostoras e têm medo de serem "expostas". Mais uma vez, outra prova de como somos controlados por nossos ancestrais.

Como a autoimagem e a percepção externa podem ser reconciliadas? Qual influência as imagens de desejos e ideais têm sobre a saúde mental e física? E qual o papel da educação na autopercepção, na idade adulta? Quando somos guiados a sentir o silêncio dentro de nós, entramos em contato com nossa essência mais íntima, o que, em última instância, ajuda-nos a revelar os desejos e as necessidades do nosso coração. Deveríamos ser capazes de fazer nossos exercícios respiratórios, acompanhados de meditação, pelo menos, três vezes ao dia, a fim de conduzir a nós mesmos, por um certo período de tempo, até essa harmonia silenciosa. Também encontramos apoio na natureza, testemunhando sua inteligência perfeita, ao observá-la de maneira amorosa, sorrindo e respirando conscientemente. Nessa combinação, alcançamos estados e níveis mais elevados de consciência. Experimente, o resultado não tarda.

Outra maneira de alcançar a paz interior é renunciar à necessidade de julgar outras pessoas ou circunstâncias como boas ou más, certas ou erradas. Tais julgamentos apenas provocam inquietações em nós mesmos, que perturbam ou, até mesmo, interrompem a conexão com a paz do coração. Se conseguirmos dissolver essa necessidade de julgar os outros, encontraremos imediatamente o lugar do profundo silêncio interior. Essas são leis que, quando utilizadas, desencadeiam imediatamente coisas positivas. Que tal interromper um padrão e dizer a uma pessoa não amada ou, até mesmo, rejeitada: "Eu te amo"? Enquanto não der para dizer em voz alta, diga, então, silenciosamente, dentro de ti.

Todo mundo é livre e todos também devem estar livres de mim. Eu só quero tocar no ponto, no *hotspot*, onde todos somos eternos e indestrutíveis. Ou seja, frequência e energia em sua forma mais pura. Por isso, qualquer comparação e competição são supérfluas, não importando com quem – sejam elas com colegas, no esporte ou com os chamados professores e mestres. Aquele que se conecta ao Uno, ao Indizível, ao Desconhecido, está também conectado ao "Supremo" e, imediatamente, separado do oposto disso. Não se trata de dizer "sim" a um mestre e "não" ao outro. Devemos dizer "sim" a tudo e praticá-lo de novo, todos os dias. Por tanto tempo, até que nos sintamos bem com isso. Ao fazê-lo, seguimos nosso Eu interior, infinito. Pois qualquer avaliação, qualquer julgamento, é um fator limitante e leva-nos a um beco sem saída. E não é só: isso nos enfraquece imediatamente e deixamos de estar na nossa força plena e de estar alinhados com o que atua por trás dele.

Com essas informações, todos podemos começar imediatamente a encontrar a paz interior, a harmonia, a força, a verdadeira vocação e a calma do coração:

1. Não apenas planejar, mas também passar mais tempo em silêncio e em contato com a natureza.
2. Diga a si mesmo: "Aconteça o que acontecer, hoje eu não vou julgar nada nem ninguém. Vou me manter firme nessa intenção". E, se eu conseguir, mesmo que por meio dia apenas, ficarei feliz comigo. E se isso não for possível hoje, farei novamente amanhã.
3. Na meditação, conscientize-se reiteradamente da seguinte frase: "Sei que posso me conectar à força todo-abrangente a qualquer momento e em qualquer lugar e que até receberei respostas para todas as minhas perguntas. Também sei que sou sempre guiado, estou sempre conectado e nunca, perdido."

8.1 Mãos como antenas

Exercício: Para transformar energia, expiramos várias vezes profundamente, sorrindo, com a boca aberta, e inspiramos profundamente, expandindo a região abdominal, com a boca fechada. Na altura do peito, esfregamos vigorosamente nossas mãos, uma na outra, até sentirmos que se aqueceram. Durante todo o processo, estamos sorrindo. Com os olhos fechados, lentamente, separamos as palmas das mãos, milímetro a milímetro, e percebemos o espaço vazio entre elas. Sorrimos e, lentamente, as juntamos novamente. Há uma resistência invisível? Sorrimos e sentimos. Nossa tarefa é sentir o espaço vazio entre as mãos vazias. O chamado "nada". A sensação é como algo viscoso ou leve? Surge o desejo de juntar as mãos novamente ou de mantê-las separadas? Realizamos esses movimentos, com muita atenção, algumas vezes, e registramos todas as diferentes percepções. Conscientemente, nós as armazenamos. Caso você não sinta nada, não desista de maneira nenhuma. Tenha paciência, você irá sentir.

Então, lentamente, colocamos nossas mãos sobre o peito. Percebemos onde sentimos energia ou movimento e como ela emerge por meio de nossas mãos. Ela se apresenta a nós em toda sua força? Nós a deixamos nos guiar. E quando sentimos que recebemos sinais especiais – ou seja, que tivemos um sentimento muito especial – abrimos lentamente os olhos com um sorriso e gratidão. E dizemos: "Obrigado". Se você não tiver sentido nada, agradeça mesmo assim. Tenha confiança. Você sempre é ouvido – e, especialmente, a sua gratidão.

Centre-se e armazene a experiência, ao esfregar novamente as suas mãos, por um momento breve. O que você sentiu? Qual foi a experiência? Quando foi sentida a força energética mais alta? Foi quando as suas mãos se tocaram, quando estavam mais próximas ou quando estavam afastadas? Foi quando houve um espaço entre elas? Onde estava o auge da força? Foi quando as mãos foram colocadas sobre o peito? Alguns sentem isso quando as mãos estão fechadas. Outros, quando elas estão abertas ou ligeiramente afastadas. A experiência de cada indivíduo depende da percepção íntima. Nenhuma é melhor ou pior. Guarde suas mãos, pense em tudo o que você poderia fazer com elas. O que elas deram, o que elas receberam? Como seria sua vida sem as mãos?

8.2 A prática

Qualquer pessoa que tenha participado de um curso introdutório de Cosmic Power® e que tenha cumprido suas tarefas de acordo com as diretrizes, poderá, com frequência, ter experiências absolutamente inacreditáveis. No entanto, os mestres não caem do céu, mas, por meio da prática contínua, todos podem alcançar a maestria. Você deseja se libertar dos clichês e desenvolver-se? Acredite em mim, isso é um efeito colateral inevitável desses exercícios Cosmic Power®.

Parto do princípio de que quem lê este livro deseja cura interna e externa, bem como crescimento interior e expansão interior. O que esperamos disso, em detalhes, permanece aberto a cada um. Sabemos bem: a porta abre-se a quem nela bate. Às vezes, precisamos bater com frequência. Às vezes, uma única vez já basta. Bata sempre, de novo e de novo.

No entanto, é frequente hesitarmos ou pararmos, mesmo quando os passos seguintes já deviam ter sido dados há muito tempo. Por quê? Porque todos nós já tivemos experiências negativas, de uma forma ou de outra, em algum momento. E, para enfrentar conscientemente esses medos e transformá-los, é necessário dissolver esses bloqueios. E é exatamente isso que é extremamente difícil para alguns. Cosmic Power® tem a vantagem de não precisarmos realizar outras atividades, exceto praticarmos, regularmente e sorrindo, nossos exercícios respiratórios, conforme especificado, e meditarmos três vezes ao dia por, pelo menos, cinco minutos. Devemos ficar cientes de que toda meditação nos faz crescer e amadurecer. Ela nos empurra internamente adiante, em direção a circunstâncias completamente novas.

8.3 O que se opõe a isso?

Eu ouço frequentemente: "Não consigo meditar. Por três semanas, tudo funciona maravilhosamente, mas, de repente, não consigo mais. Embora queira meditar, eu não consigo". Sim, é exatamente isso. Eu também sei bem como é. Contudo, isso significa apenas que o próximo obstáculo de um programa antigo deseja e precisa ser ultrapassado. Isso causa medo e desperta uma forte resistência em nós – por medo de dor, tristeza, perda e rejeição. Assim como nossos ancestrais ou, pelo menos, uma pessoa com a qual estamos conectados, já experimentaram isso.

Cosmic Power® é um dos meios mais úteis e eficazes para experimentar expansão da consciência e crescimento interior de maneira rápida, em sua essência mais pura, sem desvios. Não podemos enganar a nós mesmos. Tudo em nós e à nossa volta é limpo e purificado, mesmo sem termos de fazer nada em particular. Por meio de nossa respiração consciente, nosso sorriso e meditação, não deixaremos pedra sobre pedra, por assim dizer. Qualquer pessoa comprometida com esse caminho tornar-se-á um ser humano de verdade, bom, gentil, responsável e satisfeito. Só precisamos começar e logo veremos quantos bloqueios, resistências e medos prejudicam nossas habilidades e forças. Você pode se recompensar com uma coroa na cabeça quase todos os dias se você tiver conseguido executar seus exercícios.

No caminho de Cosmic Power®, cessa qualquer tipo de autoengano e mentira para si mesmo. Estamos a caminho da autopurificação e não podemos mais fingir para nós mesmos. Por um lado, isso parece muito simples e fácil, se não o mais fácil; mas, por outro, também é o mais difícil – dependendo da força da autodisciplina. Quem não a possui, não continuará nesse caminho. Por outro lado, se você tomou uma decisão clara e é disciplinado o suficiente, em breve, descobrirá que todas as palavras e descrições que estou tentando fornecer aqui são tentativas pequenas demais para convencer alguém dessa incrível ferramenta.

Tantas pessoas conseguiram trilhar com sucesso esse caminho. Você também consegue.

8.3.1 *Feedback* **de participantes de seminários de Cosmic Power®**

1) Quero agradecer à nova consciência e à energia universal. Participei de um seminário de energia e pratico Cosmic Power® há três meses. Nesse período, eu realmente me tornei uma pessoa diferente! É difícil descrever o que sinto e experimento. Percebo a mim mesma, o mundo, as outras pessoas e a natureza de uma nova maneira. É como se eu tivesse acordado de um sono profundo. Eu me reconheço e amo-me mais, a cada dia. Eu aceito minhas fraquezas e erros. Isso é difícil, às vezes, mas me dá força para continuar.

2) Graças a Cosmic Power®, minha consciência está se expandindo. Estou aprendendo a consolar meus pensamentos com um "mais tarde darei atenção a vocês". Eu me sinto cada vez mais responsável pela minha vida. As meditações diárias me ajudam a permanecer disciplinada.

Em situações difíceis, eu medito. Então, recebo uma resposta sobre como proceder. Eu confio no "Poder Supremo", ele me conduz na direção certa.

3) Gostaria de agradecer especialmente pela lição do "sorriso". Agora, sorrio em toda parte: dentro ou fora de casa, com outras pessoas. E eu sorrio para mim mesma. Estou feliz por ter encontrado uma maneira de curar minha alma e meu corpo. Sinto a vida, seu sabor e seu valor.

4) Enquanto escrevo isso, sinto gratidão e alegria em meu corpo. Esses são apenas os primeiros passos. Eles nem sempre são fáceis, mas eu sigo adiante. Participarei novamente do próximo seminário de Cosmic Power®.

Resumo

1. ***A lei que tudo abrange;***
2. ***Explorar e alterar a imagem de si e dos outros. Como? Por meio de exercícios respiratórios e do sorriso;***
3. ***Atingir a paz interior. Resultado: abster-se de fazer julgamentos sobre outras pessoas, circunstâncias, ações e situações;***
4. ***Alcançar a calma do coração;***
5. ***Muitos interrompem esse caminho que iniciaram, quando o sucesso não acontece imediatamente. Para isso, é necessário treino diário intensivo. SÓ a prática leva à perfeição;***
6. ***É necessário tomar uma decisão clara e inequívoca, talvez, até mesmo, um pacto ou um contrato consigo próprio. Aí, então, todos os obstáculos, bloqueios, má vontade, frustrações e a "preguiça" podem ser superados;***
7. ***Devemos nos comprometer a permanecer firmes no nosso caminho, mesmo perante as dificuldades.***

Notas pessoais

IX

Tudo e todos estão interconectados

Por meio da respiração, estamos em contato com a presença infinita e eterna do Ser. Isso também explica por que, há anos, diversas centenas de pessoas são atraídas por Cosmic Power® e participam. Eu sei que nem todo mundo tem permissão do sistema para participar. Porém, quantas dessas centenas têm autodisciplina e continuam? Muitos fizeram grandes esforços para participar, mas, por alguma razão, foram afastados. Nem todos têm permissão para adentrar nesse campo. Se a pessoa vai permanecer, depende ainda de diversos outros fatores.

Sabemos que, atualmente, por meio de computadores, podemos nos interconectar de forma espontânea com o mundo inteiro. Da mesma forma, há também redes que conectam e influenciam todos os seres humanos e tocam nosso Ser. Tudo o que eu sinto e penso já adentrou a realidade e já se manifestou materialmente. Assim, até mesmo o que eu penso ou sinto em segredo, torna-se realidade.

Se outra pessoa pensa algo semelhante, isso resulta em uma interação. Infelizmente, 95% de nós funciona em piloto automático, a partir do nosso subconsciente. Isso significa que estamos expostos a muitos programas diferentes e que, muitas vezes, as coisas não ocorrem como queríamos ou desejávamos.

De onde vem o programa do piloto automático e por que seguimos nele? Muitas vezes, ao longo dia, todos vivenciam esse automatismo, por exemplo, ao caminhar. Depois que se aprende a caminhar, quem ainda pensa em como andar sem cair? Uma vez aprendido, fica gravado para sempre. O mesmo acontece com as seguintes situações: dirigir um carro, andar de bicicleta, nadar, tocar piano, ler ou escrever. E quanto aos nossos sentimentos e velhas experiências negativas? **É exatamente igual!**

Como podemos notar, toda a humanidade está cada vez mais interconectada. Por essa razão, não podemos ficar indiferentes se as pessoas estão bem em uma parte do mundo, mas estão mal em outra. Tudo o que existe está conectado a nós e em constante troca entre si. Embora uma gota do mar seja apenas uma pequena parte, ela carrega, em si, todas as informações do mar. O mesmo acontece com os seres humanos – mesmo que um único indivíduo não consiga mudar toda humanidade. Mas se colocarmos uma gota de água do mar em um pequeno copo de licor, já é uma certa quantidade, e a informação armazenada que posso influenciar é correspondentemente grande.

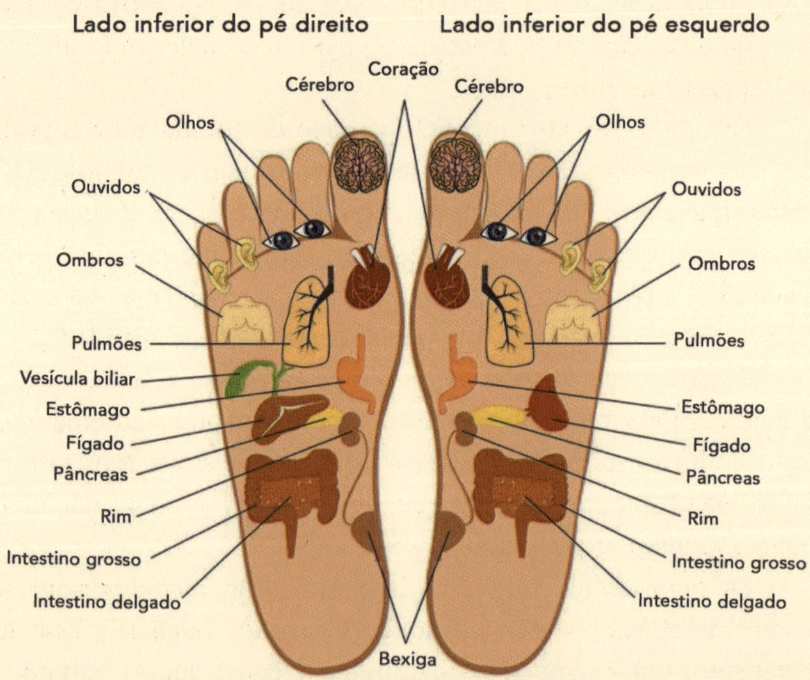

Todas as pessoas que optam por um curso de Cosmic Power® e o frequentam levam, pelo menos, uma gota de Cosmic Power® para casa. E deixam-na cair na sua família como um dedal.

É assim que Cosmic Power® espalhará seus efeitos. Que consequência isso terá se acontecer apenas de maneira seletiva em todo o mundo? Por essa razão, alegro-me sempre, de uma forma especial, quando participantes de todo o mundo vêm aos meus cursos. Como sabemos atualmente, pela ciência, o trabalho em rede não é possível apenas por computadores. Todos nós estamos permanentemente online energeticamente.

Nos meus cursos de Cosmic Power®, é instalada uma atualização energética, por assim dizer, que permite acessar o estado de consciência mais atual. Não importa a que nação ou religião pertencemos, que profissão exercemos ou que mestre ou professor seguimos. Contudo, devemos nos atentar a um detalhe: não deveríamos misturar os mais diversos métodos ou técnicas entre si, mas aplicá-los separadamente. Caso contrário, será como o rádio, se o transmissor não está sintonizado com exatidão: há apenas ruído. Por meio da nossa respiração consciente, estamos em posse de uma ferramenta perfeita para ajustar o canal com precisão a fim de receber uma frequência específica. Claro que, em seguida, devemos ouvir atentamente.

9.1 A experiência duradoura

Exercício: Agora, vamos voltar no tempo e evocar uma experiência pessoal que ficou guardada. Por exemplo, o seu primeiro amor. Pense no momento em que você estava ao lado daquela pessoa que despertou os primeiros sentimentos de desejo e de amor em você. Aquela atração pelo sexo oposto, que estava viva em você. Você sentiu um frio na barriga. Como você se sentiu? Extasiado? Agitado? Embora você não soubesse até onde você chegaria com essa pessoa e nem se você ficaria com ela, a energia despertou e fluiu pelo seu corpo. Entusiasmado, feliz, encantado. E, desde então, muitas outras vezes.

Quando experimentamos o primeiro amor, queremos tocar o outro ser e, também, queremos ser tocados. Mas quando chega a hora, parece que as mãos não se alcançam e ambos sentem uma distância. É uma sensação excitante, mas não é fácil de lidar. Todo o corpo está tenso e espera o momento em que a pele de uma pessoa entra em um contato consciente com a pele da outra. Como sua boca sentiu-se atraída pelo outro? Lembre-se, sinta-o em você! Quando chega o momento, a tensão é liberada. Sinta-se novamente daquele jeito e aproveite o momento por dez minutos. Experimente de novo e de novo. São exatamente essas lembranças que constituem o alicerce para o que vem depois. Ou seja: nada do que outrora fora pode ser apagado um dia. Fica guardado para nós para sempre, tanto o que é bom quanto o que é desagradável. Porém, com Cosmic Power®, podemos refinar ou até mesmo reescrever essas lembranças. Nunca é tarde para isso. Experimente como pode ser lindo quando você se recria.

9.1.1 *Feedback* de participante de um seminário de Cosmic Power®

Muitíssimo obrigado, Sophie, pelo tempo com você, com todos os membros de sua equipe e todos os demais participantes. É precioso e luminoso como uma pérola para mim. Desde o curso, o mundo tem se tornado ainda mais bonito. Meus aconselhamentos jurídicos são outros agora. Gosto de olhar para a pessoa com quem estou conversando um pouco mais e de uma forma mais amigável e, então, a conversa flui um pouco diferente de antes. No entanto, também me tornei muito mais direto em relação ao que preciso dizer. O melhor de tudo é que, agora, estou completamente restabelecido com a minha mãe. Abraçamo-nos durante muito tempo. Pus em prática o que senti no curso. Ou aceito a minha mãe cem por cento ou deixo tudo como está. Se quero ser adulto, então aceito as coisas como elas são e deixo de me queixar. É exatamente isso o que eu faço agora.

Foi um domingo maravilhoso com minha mãe. Espero que muitos outros ainda estejam por vir. Eu me sentei ao lado dela e agradeci silenciosamente por essa oportunidade. Para muitos, não importa se o que as pessoas fazem é bom ou ruim, certo ou errado, ou seja lá o que for. Então, DO NADA, fui tomado por essa sensação reconfortante.

E quem sou eu, então, para me permitir um julgamento perante as forças das quais vi apenas um pontinho e que, mesmo assim, já eram incrivelmente grandes?

Muito obrigado pelo campo estar aberto a todos. Quando eu pratico os exercícios respiratórios, às vezes, penso: "Ei, talvez, em algum lugar qualquer, alguém esteja sentado fazendo a mesma coisa".

Durante um treinamento na Áustria, logo no início das atividades, um participante norte-americano pegou emprestada uma bicicleta e, durante seu tempo livre, saiu pedalando pelas montanhas. Durante uma descida íngreme, em uma estrada de cascalho, ele perdeu o controle da bicicleta e capotou diversas vezes. As radiografias mostraram: 27 ossos quebrados – nos dedos, na clavícula, nas costelas e nos braços. Então, com o braço em uma tipoia, ele mostrou que não conseguia mais mover o braço nem os dedos. Cada respiração e palavra que dizia, faziam seu peito doer.

Eu me ofereci para participar do revezamento nos cuidados com os praticantes de Cosmic Power® graduados, durante o acampamento. Ao longo de todo o curso, várias pessoas continuamente fizeram imposição de mãos nesse participante acidentado. No oitavo dia, ele falou que o braço não estava mais na tipoia e, ainda, demonstrou como podia movê-lo novamente, assim como os dedos. "E eu consigo, inclusive, escrever novamente", disse ele. O que era absolutamente inconcebível, depois de seu acidente.

Ao retornar de um exame no hospital, ele disse o seguinte: "As radiografias não mostravam mais ferimentos. O médico quis saber o que eu tinha feito, porque se ele não tivesse me recebido pessoalmente e não soubesse das radiografias anteriores, ele teria pensado que havia ali alguma confusão. Ele queria saber exatamente como esse processo rápido de cura foi possível e com quem ele poderia entrar em contato para descobrir mais sobre isso".

Conclusão: o médico nunca mais entrou em contato.

Resumo

1. *A lei da Unidade;*
2. *O contato com a presença infinita e eterna do Ser;*
3. *Uma única gota de água do mar carrega em si toda a informação do mar;*
4. *Todos os seres humanos estão interconectados de maneira especial. Estamos "energeticamente online";*
5. *Todas as experiências, positivas e negativas, permanecem gravadas em nós. Por meio da meditação e Cosmic Power®, reescrevemos as experiências de vida negativas e fortalecemos e refinamos as positivas.*

Notas pessoais

X

A memória do corpo e como a acessamos

10.1 O teste de equilíbrio – a sabedoria do corpo

Tudo o que já fizemos, pensamos e sentimos fica armazenado nas células do nosso corpo e no nosso subconsciente. Ao mesmo tempo, nosso subconsciente sabe exatamente do que nosso corpo precisa para ser saudável e feliz. Mas como acessar essas informações armazenadas? Para isso, existe um método cinesiológico: o teste de equilíbrio, também chamado de reação do corpo inteiro. Todo mundo é capaz de aprender esse tipo de teste de equilíbrio.

Para isso, um princípio básico é aplicado: nosso corpo, geralmente, sente-se atraído por afirmações, coisas e ideias positivas, mas sente repulsa por coisas negativas. Isso sempre se deu dessa forma, desde o princípio, com nossas primeiras células, e continuará ao longo de toda a vida de um ser humano.

Aqueles que estão dispostos a trazer paz à sua consciência e sintonizar-se com o corpo serão capazes de comunicar-se com o subconsciente. Para isso, deve-se ficar de pé, em uma posição confortável, mantendo os pés afastados, na largura dos ombros. Os braços devem estar soltos ao lado do corpo. Por um momento, esqueça todas as preocupações e procure apenas relaxar o corpo. Assim que alcançar o ponto de presença, feche os olhos.

Após alguns segundos, percebemos que é impossível ficar completamente parado. Da mesma forma que um pêndulo, para que não haja perda de equilíbrio, o corpo muda um pouco a posição, o tempo todo. Esses movimentos mínimos não são controlados pelo nosso estado consciente, mas sim por um campo de informação, localizado mais profundamente dentro de nós. Se, nesse momento, for feita uma afirmação verdadeira, o corpo inclinar-se-á para a frente ou, até mesmo, mover-se-á, em menos de dez segundos.

Por outro lado, se for feita uma afirmação negativa, dentro desse mesmo curto período de tempo, o corpo inclinar-se-á para trás. Esses movimentos podem variar entre mínimos e intensos. Isso pressupondo que a pessoa a ser testada não imponha uma resistência ativa. Isso ocorre porque o corpo e a alma tendem a repelir não apenas pensamentos e sentimentos negativos, mas, também, declarações falsas e coisas nocivas. O corpo quer se afastar de uma afirmação inverídica e é atraído por uma afirmação verídica. O mesmo acontece com uma planta ou uma árvore. Quando elas sentem o local onde estão como prejudicial, elas desejam deixar o local onde estão e passam a crescer em direção à energia que sustenta a vida.

Da mesma maneira, é possível testar o que promove e o que perturba uma pessoa, por meio de um teste cinesiológico. Isso pode ser feito por meio de um teste de braço ou de dedos. Dessa forma, o corpo responde-lhe imediatamente. Por qual motivo? Porque o corpo não consegue mentir.

Essa descoberta foi feita pelo biólogo norte-americano, Bruce Lipton, que a identificou em uma escala mínima, durante suas experiências com células, há cerca de 40 anos. Em algumas placas de Petri, ele espalhou uma solução rica em nutrientes, em outras, uma solução nociva. Nas placas que continham a solução nutritiva, as células espalharam-se e multiplicaram-se, ocupando-as completamente. Já nas placas que continham a solução nociva, para se afastarem dela, as células começaram a sobrepor-se nas bordas, fingiram-se de mortas e mais ainda: pararam seu crescimento por completo.

No caso de um aborto provocado, por meio de um ultrassom, o mesmo comportamento pode ser observado com o embrião. Partindo desse princípio, devemos lidar com nossas palavras e pensamentos com mais atenção. Pois é bastante óbvio que toda matéria é determinada por mente e consciência. Essa mente está sempre ativa, enviando ou recebendo. A conclusão disso é que o que ocorre nas coisas pequenas, ocorre nas grandes também.

Para obter uma resposta verdadeira do corpo, é preciso renunciar ao seu controle, por um curto período de tempo, permitir um breve relaxamento e as células corporais respondem. Isso significa: o corpo é inteligente, ele responde por meio de tensão ou relaxamento.

Qual é o pano de fundo para essas reações do corpo? Tudo no universo consiste em energia, que se expressa de forma visível ou invisível. A aparência da energia é sempre determinada por sua respectiva distribuição e suas frequências de vibração. Isso significa: quase tudo consiste nos mesmos materiais – energia. Carbono, hidrogênio, oxigênio, nitrogênio e inúmeras proteínas. Ou seja, energia. O mesmo vale, também, para o ser humano. A cada momento, nosso corpo é atravessado por energia, todavia, não apenas por sua própria. O ser humano é um ser energético.

Tudo está quanticamente conectado, uma vez que a energia é a substância básica de todas as coisas. Ela está em tudo, permeia tudo e preenche completamente o universo, até o espaço vazio. A matéria ocupa apenas 0,99999%, o restante é espaço vazio.

Cada pessoa é como uma estação de rádio que constantemente transmite seus pensamentos, em forma de energia. Eles preenchem o espaço, tocam e permeiam tudo ao nosso redor, consciente ou inconscientemente, positiva ou negativamente. Na verdade, toda a humanidade e tudo o que existe estão energeticamente conectados. Assim, por exemplo, estudos demonstraram que a energia do pensamento, direcionada intencionalmente, tem um efeito sobre o objeto-alvo. Isso acontece independentemente de saber se essas pessoas são conhecidas ou alheias, se estão próximas ou em continentes distantes.

10.2 O teste do braço – mentira ou verdade

Com a ajuda do chamado teste do braço, também é possível descobrir o que está acontecendo na consciência de uma pessoa. Antes de iniciar o teste, peça à pessoa para esticar um braço para a frente ou para o lado, deixando a mão relaxada. A pessoa deve estar ali, atenta, consciente e presente, sem um desejo específico. Em seguida, coloque delicadamente os dedos no braço dessa pessoa, acima do pulso. Em seguida, explique a ela que fará uma afirmação e que pressionará seu braço estendido e que ela deverá resistir e tentar impedir que o braço seja empurrado para baixo. Se a afirmação for verdadeira, o braço da pessoa em teste, quando pressionado, permanecerá forte contra a pressão, parecendo estar travado. Por outro lado, se a declaração for falsa, o braço cederá a um leve aumento de pressão, e a pessoa testada, mesmo com o maior esforço, não conseguirá sustentar o braço na posição.

Quando entrevisto um cliente ou uma cliente, procedo da seguinte forma:

1. Começo sempre com uma pergunta para confirmar se tenho permissão para testar essa pessoa.
2. A segunda pergunta é se a pessoa pode ser testada neste momento.

3. Dessa forma, consigo notar qual movimento o braço executa diante da resposta com o "sim" e com o "não".
4. Por essa razão, peço, com frequência, o nome da pessoa.
5. Então, eu a chamo, utilizando um nome diferente e errado. Se o corpo responder com "Não", eu sei como posso e se devo continuar ou não.

Já conduzi esse teste em clientes milhares de vezes. Eles sempre deram as respostas corretas e ajudaram a trazer a verdade à tona. O corpo não pode mentir. Isso mostra como a energia e a sabedoria abrangente e fluida do universo operam no corpo.

Se eu não tenho um representante à disposição para uma constelação, por meio do teste do braço ou do corpo inteiro, posso descobrir os bloqueios e emaranhamentos da pessoa. Também, dessa mesma maneira, posso descobrir como encontrar uma solução. No entanto, gostaria de salientar que uma constelação não pode ser substituída sem receios. Isso ocorre pela razão de que as pessoas não gravam frases, mas imagens. Essas imagens são fornecidas ao subconsciente por meio de uma constelação. Mas, para começar, o teste cinesiológico é extremamente útil. Eu dou um exemplo disso no capítulo seguinte.

Resumo

1. ***O corpo dá respostas. Pelo teste de equilíbrio, podemos nos comunicar com nosso subconsciente;***
2. ***Nossas células sentem-se atraídas por coisas, ideias e palavras positivas e sentem-se repelidas por coisas, ideias e palavras negativas;***
3. ***O corpo nunca mente – ele SEMPRE fala a verdade;***
4. ***Tudo o que aflige uma pessoa pode ser testado no corpo, por meio de testes com o braço ou com os dedos.***

Notas pessoais

XI

As consequências da rejeição

Demonstro, a seguir, por meio de Familienstellen Original Hellinger®, os efeitos de uma rejeição. Nesta constelação, eu também iniciei e trabalhei com o teste do braço, descrito no capítulo anterior:

Sophie Hellinger para os participantes do curso: Quem tem a sensação de que, com o que ouviu de mim, está em conflito com sua família, seu trabalho, seu mestre ou seu professor?

Sophie Hellinger chama uma participante que levantou o braço para subir ao palco.

Participante: Eu sou originária da Rússia, mas agora moro na Alemanha.

Sophie Hellinger: Você acredita que isso poderia ser um conflito para você.

Participante: Sim, com meu irmão.

Sophie Hellinger: Ele espera algo a mais de você?

Participante: Eu achava que tinha me desapegado de meus desejos, mas é algo que ainda mexe muito comigo, tudo o que já escutei antes.

Sophie Hellinger: E com o seu irmão?

Participante: Eu desejo compreensão, união, paz e amor com ele.

Sophie Hellinger: Ela não dá uma resposta clara. Ao preocuparmo-nos com alguém, bloqueamos nós mesmos e o outro. No seu caso, seria a vida do irmão e seu próprio futuro. Vamos fazer o teste do braço. Você está de acordo?

A participante estende o braço. Sophie Hellinger verifica se ela pode efetuar o teste. A resposta é "sim".

Sophie Hellinger: Mantenha o braço estendido! Pense no seu irmão! Continue assim! Diga o nome dele!

A participante diz o nome do irmão dela. O braço não se sustenta.

Sophie Hellinger: Esse não é o conflito original. Há outro por trás.

A participante estica novamente o braço.

Sophie Hellinger: Vamos descobrir com quem mais existe um conflito forte. Pense no seu marido!

Sophie Hellinger pressiona o braço da participante. A participante não consegue segurá-lo e, imediatamente, começa a chorar.

Sophie Hellinger para o grupo: Vemos aqui que algo se desloca dentro do sistema. Mas, agora, não vou me aprofundar muito no trabalho de constelação familiar, pois estamos em um curso de Cosmic Power®. Além disso, em todo relacionamento de casal, trata-se de uma comunidade de destinos. Isso, frequentemente, diz respeito àquilo que está em conflito no próprio sistema familiar e para o qual esse sistema familiar não consegue encontrar uma solução. Essa solução é, então, procurada do lado de fora, de preferência, junto com um parceiro ou uma parceira. Ele ou ela entra nesse relacionamento, no sistema, para apoiar o campo e curá-lo como um todo. É dessa forma que a relação de um casal desenvolve-se em uma comunidade de destinos.

Por exemplo, o homem é punido em função do que está errado na família da mulher. Por quê? A esposa tem algumas ideias a respeito de como ele deveria ser. Isto é, assim como era no campo do sistema dela. No entanto, se ele entra como um fator de cura, que deveria produzir alguma diferença, ele deve e irá se comportar completamente diferente do esperado. E irá se resguardar dessas expectativas. Isso, muitas vezes, leva a conflitos.

A participante acena afirmando com a cabeça. Ela respira profundamente duas vezes.

Sophie Hellinger: Como você está agora?

Participante: Um pouco aliviada. *Ela respira profundamente.*

Sophie Hellinger: Respire. Você não precisa destrinchar tudo detalhadamente. Você apenas precisa encontrar o caminho. O que te trouxe aqui? Por intermédio de quem você veio aqui?

Participante: Eu sempre quis experimentar Hellinger alguma vez. Aconteceu espontaneamente, sem planejar muito. Eu precisava vir.

Sophie Hellinger: Seu marido ficou feliz com isso?

Participante: Não! Ele apenas foi tolerante e nada mais. *Ela riu*

Sophie Hellinger: Por que você está na Alemanha?

Participante: Porque, originalmente, sou alemã e, em 1981, houve grande discriminação contra alemães na Rússia. Minha mãe pressionou para voltar para a Alemanha. Ela tinha dito: "Não quero ser deportada novamente, como em 1941". Essa foi a única razão. Antes disso, nunca quis deixar a Rússia.

Sophie Hellinger: Onde está o conflito então?

Sophie Hellinger levanta o braço da participante para questionar seu corpo.

Participante: Seria um conflito entre alemães e russos?

Sophie Hellinger tenta pressionar o braço da participante para baixo. Não é possível. Ou seja: a resposta é positiva.

Sophie Hellinger: Então, é um conflito entre alemães e russos. E ele é travado dentro de você. *A participante agora treme e chora.*

Sophie Hellinger: Para onde sua mãe foi deportada?

Participante: Muitos alemães foram deportados para a Sibéria.

Sophie Hellinger para o grupo: Ora, a rejeição sobre a qual eu falei anteriormente. Se eu rejeito algo, sou fraca. Isso tem alguma coisa a ver com o irmão? Ele faz coisas estranhas que não podem ser toleradas?

Sophie Hellinger para a participante: Diga: "Eu gosto da Sibéria".

A participante estica o braço e diz: Eu gosto da Sibéria.

Sophie Hellinger pressiona seu braço, ele não se sustenta.

Para o grupo: Isso significa: sua cabeça pensa de uma maneira diferente do que sente seu coração. Ela disse que não queria voltar para a Alemanha, mas o corpo dela mostra que ela não gosta da Sibéria.

Participante: Eu morei no Cazaquistão. Eu nasci na Sibéria, para onde meus pais tinham sido deportados.

Sophie Hellinger: Qual é a origem do seu pai?

Participante: Ele era alemão do Volga.

Sophie Hellinger: Você disse anteriormente: "Eu sou uma alemã e venho da Rússia". Agora, vamos testar sua declaração. Diga: "Eu sou uma alemã". *Com essa afirmação, o braço da participante desaba, ele não tem força.*

Sophie Hellinger para o grupo: Mais uma vez: ela é uma alemã. Ambos os pais são alemães e, durante a guerra, foram deportados para a Sibéria. Conforme mostra seu corpo, ela não gosta da Sibéria. Assim como seu braço, ela se mostra fraca ao dizer: "Eu sou uma alemã".

Sophie Hellinger o demonstra mais uma vez. O braço abaixa e não se sustenta.

Sophie Hellinger: Ela nasceu na Sibéria. Contudo, ela rejeita a Sibéria. Tudo o que eu rejeito me enfraquece. Não importa se é bom ou ruim, justo ou injusto. O que eu rejeito tem a ver comigo. É uma tarefa expandir-se para além disso e desenvolver-se nessa vastidão. Enquanto eu me recusar, estarei negando minha força total. Então, um problema leva a outro.

Para a participante: Seu marido é russo?

Participante: Ele é russo-alemão. Os pais dele também foram deportados. Ele também nasceu na Sibéria.

Sophie Hellinger: Qual seria a solução? Agradeça à Rússia e à Sibéria, mesmo que não pareça lógico.

Sophie Hellinger pega o braço da participante e o coloca em uma posição horizontal.

Sophie Hellinger: Diga: "Rússia, obrigada!"

Participante: Rússia, obrigada!

Sophie Hellinger pressiona o braço para baixo e diz: Segure!

O braço está firme. Sophie e a participante entreolham-se. A participante respira aliviada e sorri. Sophie Hellinger: Eu preciso agradecer àquilo que rejeito. Chame seu marido pelo primeiro nome e diga "obrigada".

A participante estende o braço: Victor, obrigada!

Sophie Hellinger pressiona firmemente o braço, ele se sustenta. A participante acena concordando e fica alegre.

Sophie Hellinger: Isso a move. Diga a ele novamente.

Participante: Victor, OBRIGADA! *A participante acena e fica profundamente comovida. Ela começa a chorar.*

Sophie Hellinger para o grupo: Agora está ficando amplo e suave em seu coração. Aqui vemos: o destino – seja voluntário ou involuntário – é de grande importância. A solução deve ser encontrada ali, para onde eu vou involuntariamente. Não é para onde eu vou voluntariamente. Os alemães sobreviveram na Sibéria. Hoje, eles são chamados de alemães do Volga.

Sophie Hellinger levanta o braço da participante e diz: Pense em todos os deportados, pense neles, em todos eles. Pense nos deportados.

A participante se afasta, com seu corpo inteiro tremendo muito e chorando. Ela soluça alto: Eu consigo senti-los. Eles são muitos.

Sophie Hellinger para o grupo: São tantos. Como vemos, não somos livres. Estamos envolvidos em um campo. Rupert Sheldrake chama isso de campo mórfico. Esse campo atua independentemente de sabermos algo a respeito dele ou de acreditarmos nele. Todas as informações do sistema são armazenadas no nosso corpo, transmitidas pelos sentimentos da mãe, por meio do cordão umbilical.

Sophie Hellinger toma o braço da participante e levanta-o: Pense em todos os que foram deportados e diga-lhes: "Vocês sobreviveram a tudo, e isso, talvez, tenha acontecido porque fomos deportados. Agora, estou pensando em vocês."

Participante: Sobrevivemos a tudo, e isso, talvez, tenha acontecido porque fomos deportados. Agora, estou pensando em vocês.

Sophie Hellinger: Segure o braço! Diga: "Por isso, eu agradeço à Sibéria e à Rússia".

Participante: Por isso, eu agradeço à Sibéria e à Rússia.

Sophie Hellinger pressiona para baixo o braço da participante. O braço mantém-se firme. Diga: "Eu também agradeço a todos vocês que não sobreviveram e desejo que sigam em paz".

Participante: A todos os que não sobreviveram: também digo obrigada e desejo que sigam em paz. *O braço permanece firme.*

Sophie Hellinger: Diga: "Eu amo vocês".

Participante: Eu amo vocês. *O braço permanece firme.*

Sophie: Diga: "Este é o meu destino. Sou uma alemã do Volga".

Participante: Este é o meu destino. Sou uma alemã do Volga.

Ela acena estando de acordo.

Sophie Hellinger: Diga: "Eu o aceito agora, exatamente da forma como foi designado para mim". Pense no seu irmão e segure o braço.

Participante: Eu o aceito agora, exatamente da forma como foi designado para mim. *O braço permanece firme.*

Ela suspira aliviada profundamente. Agora, consigo mover minhas pernas novamente. *Ela passa as mãos pelas próprias costas.*

Sophie Hellinger para o grupo: Com a ajuda do teste com o corpo, em combinação com conhecimentos de Familienstellen Original Hellinger®, incluindo Cosmic Power®, conseguimos, em um período bem curto, alcançar um bom resultado. Nessa combinação, usamos várias ferramentas eficazes para dissipar tensões e conflitos secretos que foram assumidos, bem como as informações herdadas. A solução tem resultado no presente, para a própria pessoa e seus familiares, como também no passado, para os mortos do passado. Essa aplicação atua de modo atemporal.

Com Familienstellen Original Hellinger® e o teste do braço, não importa se alguém está vivo ou morto. De certa forma, podemos ajudar muitos parentes de gerações passadas a, finalmente, encontrar paz e descanso. O tempo é irrelevante, uma vez que, com esse trabalho, já estamos no espaço quântico, no qual o tempo claramente não existe, apenas a informação existe.

11.1 Transferência de trauma

Eu também gostaria de fornecer uma prova científica: em um experimento, alguns camundongos foram enviados para um labirinto. Em um determinado local, eles recebiam eletrochoques. Anos depois, os filhotes daqueles camundongos foram enviados para o mesmo labirinto e eis que, ao alcançarem o mesmo ponto onde seus pais tinham recebido os eletrochoques, os animais paravam o percurso.

Essa tentativa foi repetida com camundongos até a 14ª geração. Todos os descendentes pararam no mesmo local onde os ancestrais receberam os eletrochoques e não queriam mais continuar.

Aqui podemos ver como é importante o trabalho com nossos familiares e antepassados. Em combinação com Cosmic Power®, Familienstellen Original Hellinger® permite uma solução bastante peculiar. A técnica de respiração especial possibilita uma percepção e um vínculo com o campo informacional bastante diferentes. Por essa razão, eu chamo essa técnica de a "ferramenta dourada da cura".

Para o grupo: Obrigada! Aqui vimos o conflito superficial com o irmão, aquele tem uma ligação de longo alcance com o passado e com o futuro daí resultante. Esse sentimento, esse pensamento nocivo, faz com que todo o campo gire em um sentido negativo, contra o movimento da vida e das soluções. E isso é transmitido de geração em geração e assim por diante. Por quanto tempo mais? Por 14 gerações!

Resumo

1. ***As consequências da rejeição;***
2. ***Nenhum de nós é "livre". Todos estamos conectados em campos. Eles operam e influenciam-nos, independentemente de nosso saber ou de nosso crer a esse respeito;***
3. ***Traumas transferem-se para descendentes, às vezes até por muitas gerações;***
4. ***Resoluções de traumas por meio de Familienstellen Original Hellinger® em combinação com Cosmic Power®;***
5. ***A técnica de respiração especial leva a uma percepção altamente expandida e cria uma conexão estável com níveis de informação cósmicos e universais;***
6. ***Nem em Familienstellen Original Hellinger® nem no teste do braço importa se alguém está vivo ou morto.***

Notas pessoais

XII

A ideia da separação

12.1 A impressão digital

Estou sempre buscando e descobrindo algo novo que me conduz a outro entendimento e, às vezes, a uma conclusão ou até mesmo a uma descoberta nova. Isto é: o que era conhecido até então é refutado, e algo diferente e novo toma o seu lugar.

Por exemplo: até mesmo a figura de uma Kirliangrafia de um dedo me desperta reflexões, por bastante tempo.

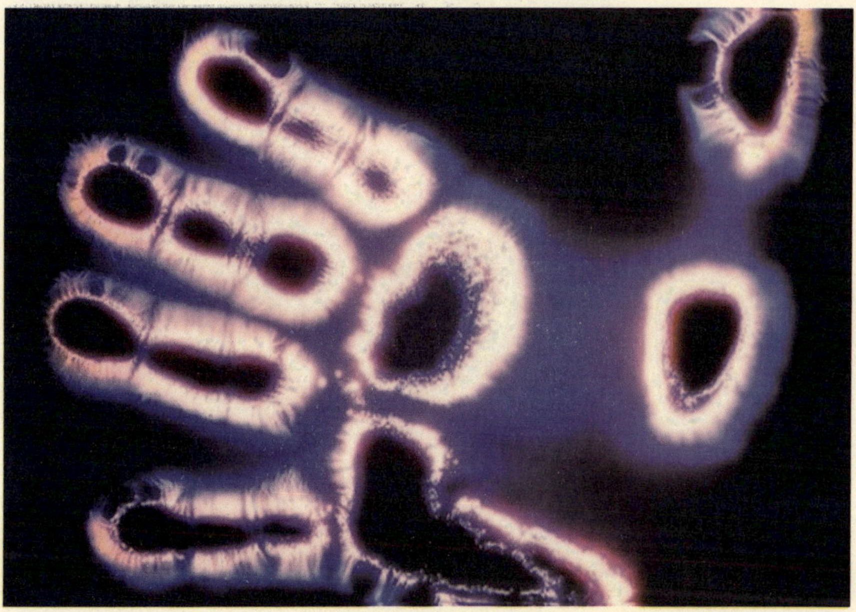

Até mesmo uma impressão digital reflete a sensação de separação, pois tudo o que existe neste universo tem sua imagem especular. Isso também pode ser visto na impressão digital.

Ela reflete o microcosmo dos nossos sentimentos e pensamentos. Ao mesmo tempo, também faz parte do macrocosmo.

Essa unidade original, em que o maior e o menor encontram-se, é o paraíso Muita coisa já nos foi contada sobre esse lugar cheio de graça. Inclusive, há inúmeras metáforas sobre esse lugar que conhecemos desde a nossa infância.

O paraíso é esse estado de independência e perfeição. É o inimaginável, do qual não podemos formar uma ideia ou imagem.

12.2 Positivo e negativo

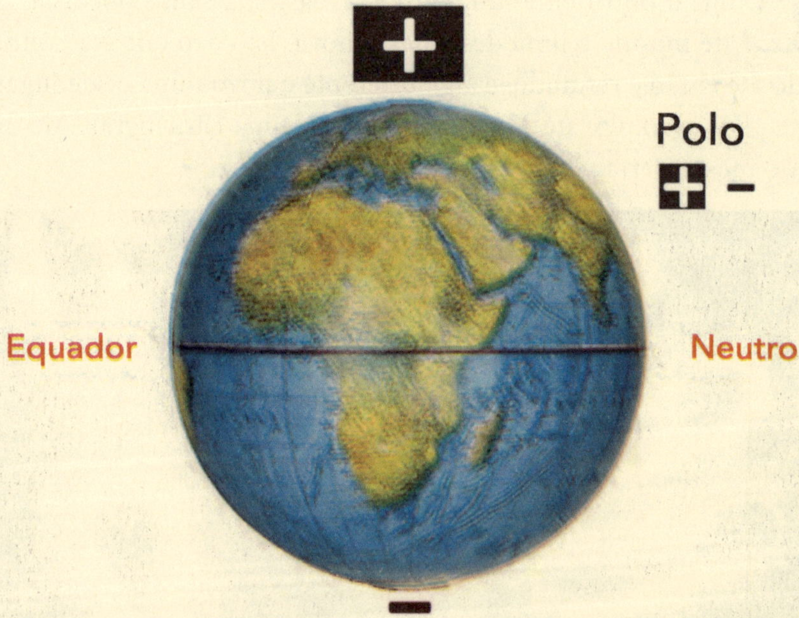

Vivemos no mundo da polaridade. Tudo o que pensamos e sentimos baseia-se no positivo e no negativo. Por isso, a realidade baseia-se em um permanente estado de tensão entre esses dois polos. Vemos isso, também, com a impressão digital: ela tem dois extremos, um positivo e um negativo. Um está em contato com o mundo com o qual vivemos, o outro está aberto para todas as possibilidades.

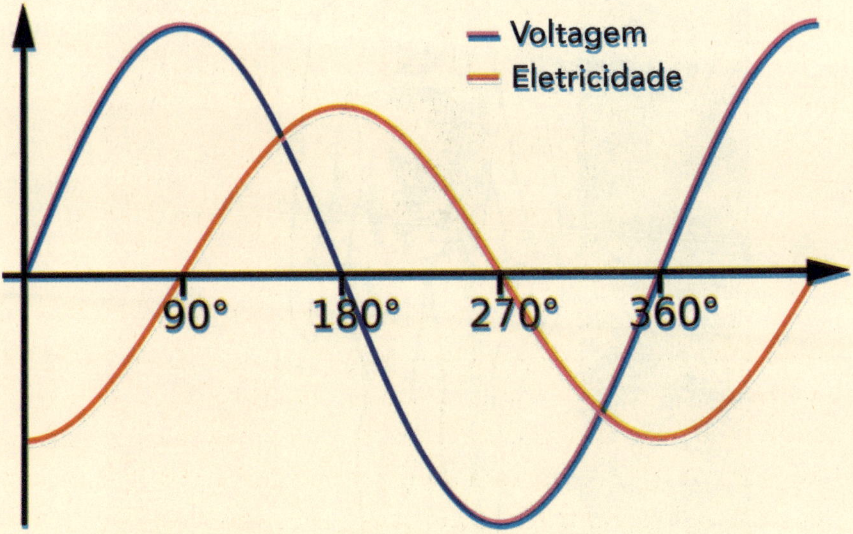

Positivo e negativo são, segundo nossa concepção, duas forças da natureza, as quais encontram permanentemente sua expressão no universo.

Nosso corpo, mente e espírito, nossas emoções e alma não devem ser uma exceção. Uma parte de nós é fiel ao polo positivo e a outra parte é fiel ao polo negativo.

Como podemos conseguir ligar os dois mundos que coexistem dentro de nós?

Separados e unidos, positivos e negativos, inspirar e expirar. Percorremos um caminho que é guiado pelo movimento da vida e da morte. É por isso que precisamos manter a energia fluindo dentro de nós.

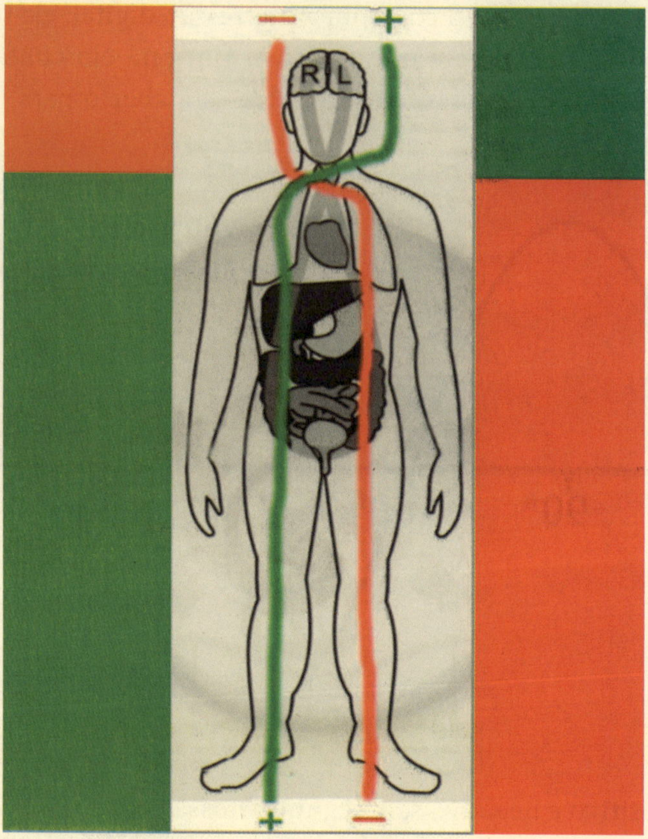
−
+
R
L
+
−

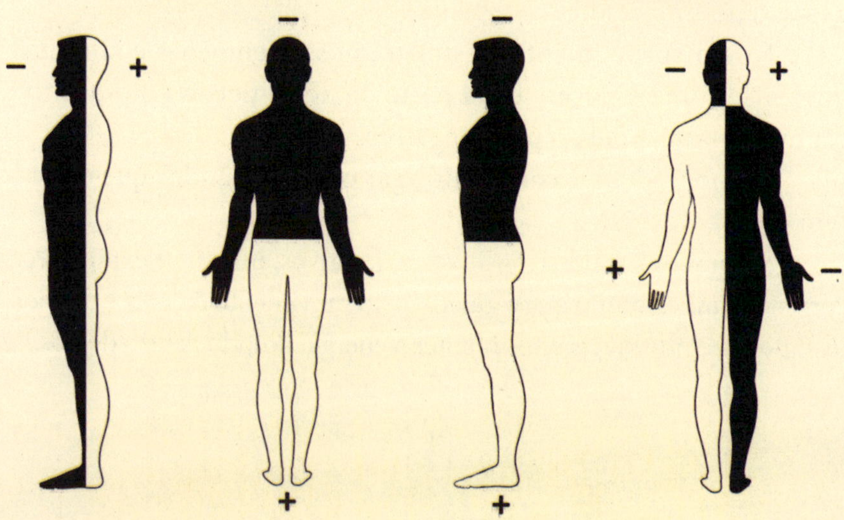
−
+
−
+
−
+
−
+
+
−

Somente assim preenchemos nosso organismo e tudo o mais com essa força vital e esse impulso. A respiração desempenha um papel decisivo nesse processo. A inspiração e a expiração trazem o fogo da energia para dentro do cosmo interior.

12.3 Possível e impossível

Tudo é possível. Quando contemplamos uma impressão digital, podemos vislumbrar um universo de possibilidades. Podemos nos conectar com a fonte da vida do dono dessa impressão. Podemos, até mesmo, "ler" nela todas as doenças que uma pessoa sofreu ou experimentou, quais as fraquezas que já chamam a atenção no organismo, quais órgãos estão fortes e quais estão fracos. Tudo se reflete em uma única impressão digital. É uma fotografia instantânea.

O mesmo acontece nos olhos. Neles, é possível ler a ordem ou a desordem que prevalece na nossa mente e, por consequência, no nosso corpo. Isso significa que, em uma pequena parte do corpo, reflete-se toda a complexidade de um ser humano. Todo o passado é incluído e pode, até mesmo, ser visto. Em outras palavras, a memória, por assim dizer, é refletida em cada célula do corpo e, novamente, em cada parte desse organismo.

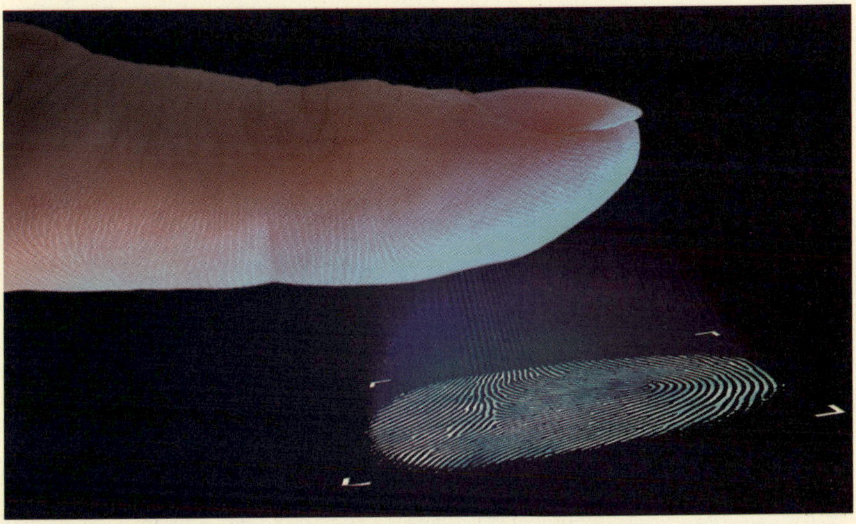

Vocês se recordam da parábola do cisco no olho do outro e da trave no próprio olho? Em nossos olhos está tudo evidente, tudo o que foi e o que será.

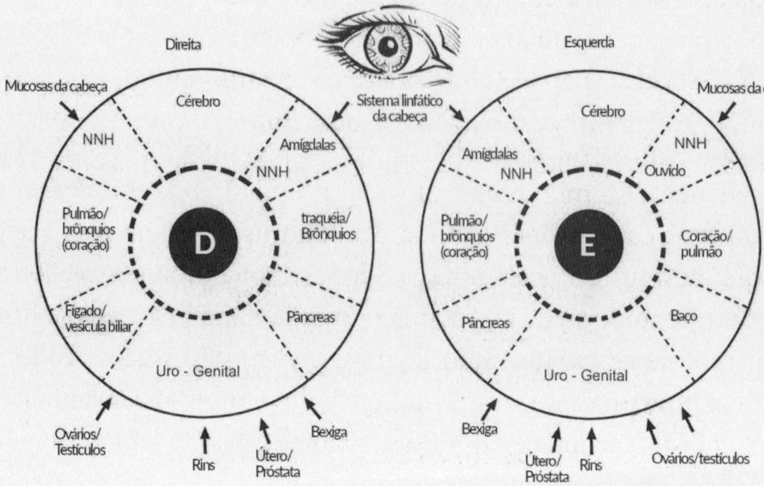

Quando falamos dos princípios básicos que derivam do Cosmos, eu não me refiro apenas ao corpo, mas ao ser humano como um todo, como resultado da criação. Esse sopro da vida apresenta-se como um sopro do universo. Dessa forma, carregamos e descarregamos a energia por meio da inspiração e da expiração. A vida mantém-se com o ritmo da inspiração e da expiração. Há um segredo subjacente: é o sorriso, quando o exibimos no rosto.

Com isso, expressamos que estamos sorrindo para a vida, a fim de que ela possa se realizar e, também, mostramos que estamos de acordo com ela.

12.4 Tornar-se um "verdadeiro" ser humano

Quando estaremos preparados para soltar os conceitos e as alegações que limitam as fronteiras do nosso pensamento? Quando estaremos preparados para criar e liberar imagens que tragam soluções e que deem uma unidade ao que está separado? Quando estaremos preparados para nos abrirmos para algo que não conhecemos?

Quando estaremos preparados e abertos a dizer "sim" para o inesperado e para o desconhecido, para o qual ainda não estamos presentes e sobre o qual ainda não vimos ou não sabemos nada e que, mesmo assim, nos aflige? Se pudermos nos libertar de todo o conhecimento prévio e de nossas ideias, imagens e percepções preconcebidas, somos capazes de alcançar e implementar o novo e o que ainda podemos e devemos ser. Esse processo é nossa tarefa, com a qual devemos nos comprometer para nos transformarmos em "seres humanos verdadeiros e genuínos".

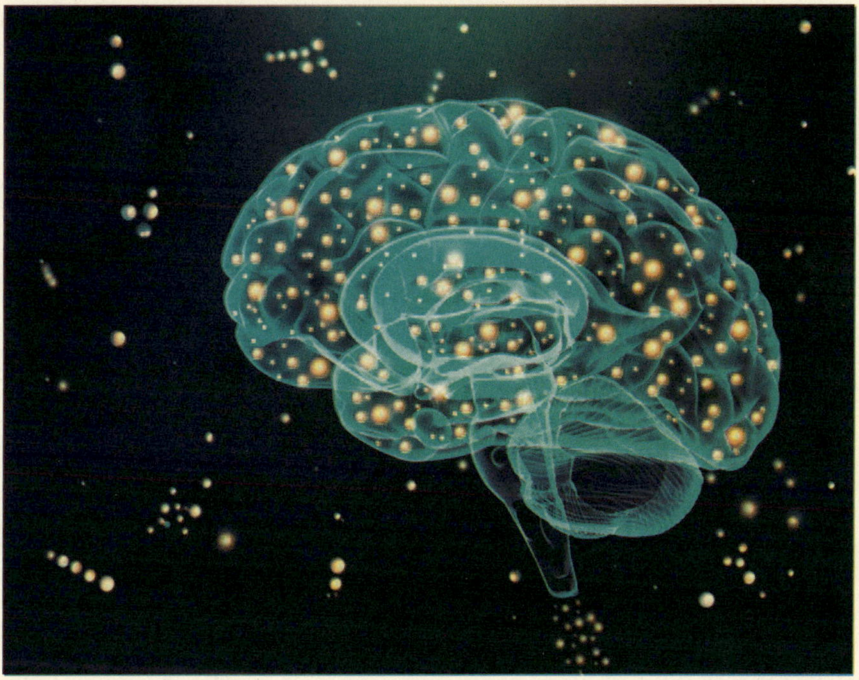

12.5 O vazio

Se olharmos para o que está separado, podemos reconhecer a lacuna, imaginar como o desconhecido a preenche e considerar possível grande parte do peso resultante. Como encontramos o caminho para a unidade? Quando reconhecemos que vivemos em um mundo de polaridades. Esse movimento de separação apenas é superado se nós estivermos livres de qualquer pensamento. Contudo, isso dificilmente é possível, uma vez que temos pouca influência sobre o fluxo dos pensamentos e seus movimentos. Então, como podemos superar esses movimentos conflituosos?

Como podemos vivenciar, de forma benéfica, a tensão que reina entre os polos positivo e negativo, que existe em cada um de nós? O que isso significa? Significa que se não pensarmos ou se conseguirmos ficar livres de qualquer pensamento por, pelo menos, um segundo, então, o pêndulo, que está em constante movimento entre o positivo e o negativo, para. Fica no campo do ponto zero por um momento. Esse estado pode ser induzido intencionalmente por meio da meditação, em frequências baixas. Sentimos o momento como uma fusão, como cura, como unidade e como o todo no vazio.

12.6 Outro exercício

Novamente, juntamos nossas mãos e esfregamos uma na outra. Nas palmas das mãos, todo o sistema digestório é representado e, esfregando nossas mãos, fornecemos energia para esse sistema. Nesse exercício, devemos tentar reconhecer em qual parte da mão mais energia pode ser sentida: na palma ou na ponta dos dedos. Ao mesmo tempo, imagino a presença, uma imagem do meu aparelho digestório, nas palmas das mãos. Sorrio para o meu aparelho digestório, visualizo o interior do corpo e expiro, depois inspiro profundamente. Com essa abertura, saúdo tudo o que vive no meu aparelho digestório, todo o microbioma, por assim dizer, e conecto-me com ele. Com essa abertura, o microbioma sente-se acolhido e valorizado pelo trabalho ininterrupto que realiza constantemente. Pela respiração, ativamos o sistema vegetativo em todo o corpo.

A presença da energia é capaz de comunicar-se conosco. Há tantas mensagens que recebemos constantemente do nosso corpo e que, infelizmente, na nossa comunicação, na nossa mente, não acessamos de forma consciente. Então, agora estamos perguntando conscientemente ao nosso corpo: que mensagem você tem para mim?

Nós nos focamos, nós nos treinamos na escuta exata, ouvimos cada vez mais. Aqui, é necessária uma escuta muito sutil, uma boa percepção, com sentidos atentos. Continuamos sempre em um estado de gratidão, sem parar de sorrir. Enquanto estamos muito presentes, atentos e ouvindo, conscientemente, unimos nossas mãos novamente. Sentimos as duas mãos, uma ao lado da outra. Percebemos a mensagem que a energia, enquanto mensagem, traz consigo. Nós nos concentramos na força que flui de um lado para o outro do corpo. Uma mão é mais forte do que a outra? Alguma delas é dominante?

Ainda continuamos receptivos para captar a mensagem da respiração: expirar e inspirar profundamente.

O objetivo de nossos exercícios de respiração e com as mãos é abrirmo-nos para outras frequências, novas e desconhecidas, a fim de que um dia possamos estar preparados para receber e transmitir, como antenas, as informações cósmicas. Aqui, estamos falando de Cosmic Power®. Por isso, é necessário sintonizarmo-nos com essas frequências, pois, por meio da respiração, conectamo-nos a tudo que está vivo. Infelizmente, na maioria das vezes, de forma completamente inconsciente. Isso precisa de ser trazido à consciência, porque somos parte do todo. Por meio desses exercícios, ajustamos nossas antenas corretamente e alinhamo-nos. Os exercícios adicionais e os cursos avançados de Cosmic Power® limpam os nossos canais, para que a energia e a informação, que, até então, ainda fluem parcialmente até nós por caminhos desconhecidos, possam ter um fluxo livre.

Resumo

1. Em cada pequena parte do corpo revela-se o ser humano como um todo em seu passado complexo;

2. Ou seja: a memória reflete-se, por assim dizer, em cada célula individual do corpo e em todas as partes do organismo;

3. Vivemos em um mundo de polaridade. Tudo o que pensamos e sentimos baseia-se no positivo e no negativo;

4. Por meio da sincronização de ambos os hemisférios cerebrais atingimos a sincronia cósmica.

Notas pessoais

XIII

O segredo das sete portas

Ao longo dos séculos, as diferentes culturas que moldaram a humanidade criaram suas próprias ideias e sabedorias relacionadas à energia. Em nosso tempo, há muito mais oportunidades para abrir a nossa mente e o nosso coração, para que esse conhecimento possa ser trazido de volta à vida e manifestado por meio das nossas mãos e dentro de todo o corpo. Existem, em cada ser humano, muitas feridas a serem curadas, tanto dentro como fora do corpo, quanto na alma.

Como a energia sempre segue a atenção, ela libera impulsos que conduzem à cura. Isso acontece porque o interior do corpo absorve essa energia do exterior e depois a distribui por todo o corpo. Esse é o encontro de duas forças infinitas que, mais uma vez, manifestam-se pela química do nosso organismo. Para ser mais específica: o metabolismo que aciona o aumento de energia em cada célula, por meio dos mais variados impulsos de movimento – sejam sentimentos ou pensamentos – desencadeia, a cada vez, uma liberação hormonal e uma química diferentes.

No cotidiano, observamos o conhecido e o desconhecido. Algumas coisas que parecem proibidas são bem conhecidas por nossa alma. A energia – por mais misteriosa que seja – é reencontrada nos tempos e planos mais distantes da nossa alma. Se formos capazes de estabelecer o contato em nós, o aparentemente desconhecido transforma-se em algo curativo e familiar. Finalmente podemos nos sentir em casa de novo.

Quando sentirmos, outra vez, dentro de nós, a ressonância dos mais diversos aspectos e permitirmos que tudo o que até agora nos pareceu estranho e desconhecido seja tocado e guiado pela energia misteriosa que existe no universo, tornaremo-nos seres felizes, extraordinários e especiais. Assim que damos boas-vidas à ressonância dessa informação, ela ensina nossa mente, nosso corpo e nossa alma de uma maneira muito especial. Como fazemos isso? Por meio do sorriso, da respiração e da meditação. Nesses exercícios, sincronizamos sentimentos, pensamentos e comportamentos, por assim dizer, passado e presente, de uma maneira positiva. Dessa maneira, estaremos sempre recriando a nós mesmos.

Por meio de nosso sorriso, de nossa respiração e de nossa meditação totalmente conscientes, somos capazes de exercer influência, encontrando o caminho para o centro do coração e da nossa própria infinitude. Em outras palavras, podemos renascer de novo e de novo infinitamente.

13.1 Nossos centros energéticos

Em nosso corpo, mente e alma existem sete portas que garantem a entrada de energia e fazem tudo fluir.

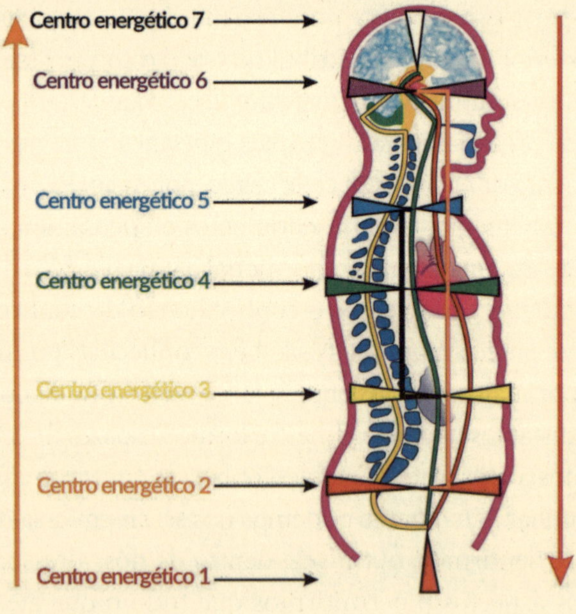

Por meio do toque nos centros energéticos, temos, em nossas mãos, uma chave para cada uma dessas sete portas. Se, pela disciplina, conseguirmos nos conectar conscientemente com esses planos, encontraremos o acesso a uma nova estabilidade do nosso ser, às emoções e à clareza da nossa mente. Agora, tudo o que é necessário é a aplicação.

Assim que as sete portas são abertas com as chaves certas do sorriso, da respiração, da meditação e do toque, a energia fluirá com toda sua força avassaladora para dentro de nós e através de nós. Como alimento da vida, ela penetra lentamente, por meio dos nossos sentidos, em cada célula. Dessa forma, céu e terra conectam-se em nosso corpo, esses opostos formam-se e tornam-se algo ainda maior. Essa expressão mostra-se em nossos pensamentos, sentimentos e ações.

A energia é como um redemoinho que estimula todo o nosso ser. Ela cria um movimento surpreendente – incluindo desde o mais ínfimo sistema em nós até os grandes sistemas da Terra, o organismo total e o universo infinito. O passado e o futuro estão inclusos, onipresentes.

13.2 O sumo especial da vida

O fluxo de diferentes forças da natureza é desperto. Ele estimula um novo processo químico dos nossos hormônios que, por sua vez, desencadeiam outro processo, possibilitando, assim, que o ciclo feche-se. Por meio de um hemograma, é possível ter informações exatas sobre isso. O sangue é o transportador mais eficaz da química e da informação. A formação do sangue é um processo alquímico. Em nossas veias e artérias, parece ser a mesma coisa, porém não é. Quando todo o sistema do corpo encontra-se em sintonia, outros sentidos despertam. É colocado o alicerce para o processo de tornar-se um ser consciente. A vida expande-se em e para outros planos.

No entanto, a diferença é enorme. O sangue – vermelho como é – aquece nosso corpo, desde a partícula mais interna até a fibra mais externa. A manutenção da temperatura dentro de nós é uma frequência do conhecimento interior que, por sua vez, também nos conecta diariamente com o mundo exterior e envia impulsos de harmonia e desejo dentro de nós. Homem e mulher encontram-se. O calor do corpo masculino prepara seu sêmen para ser colocado no útero da mulher. Tudo nela é igualmente quente, para que essa semente, o esperma, encontre o limite escuro da vida no óvulo. Esse calor é transferido da mãe para a criança e lá permanece vivo.

Resumo

7. *A energia acompanha a atenção. É uma lei física. Toda a energia disponível para mim fluirá para onde eu dirigir minha atenção;*
8. *Por meio do sorriso, da respiração e da meditação, sincronizamos sentimentos, pensamentos e comportamentos, por assim dizer, passado e presente, de maneira positiva;*
9. *Temos sete centros energéticos. Sete portas como portões de entrada para a energia cósmica;*
10. *Assim que as sete portas são abertas com as chaves corretas do sorriso, da respiração, da meditação e do toque, a energia flui com toda sua potência avassaladora em nós e através de nós.*

Notas pessoais

XIV

A experiência física – o mais elevado dos sentimentos

É no abraço físico que estamos mais ligados fisicamente uns aos outros como seres vivos, pois a energia, na prontidão para a sexualidade, está a serviço da vida. O homem e a mulher são masculino e feminino, ou seja, positivo e negativo. Os dois polos se condicionam mutuamente para experimentar e perpetuar o todo. Homem e mulher são criaturas da natureza, eles estão a serviço da criação. Homem e mulher são, por um momento, uma unidade inseparável. Lá, o calor e a energia da espécie são fundidos em um caldeirão tão misterioso quanto a infinita escuridão sideral. Ocorre o mais surpreendente colapso de energia, tão poderoso quanto a criação do universo. E a nova vida emergirá inevitavelmente. Ela toma toda sua força e seu impulso da semente energética do homem e da prontidão da mulher para conceber. O esperma encontra o óvulo. Os átomos tornam-se moléculas. As moléculas são transformadas em compostos, e esses compostos são transformados em matéria viva. De repente, uma célula é formada e divide-se em duas, depois em quatro, em oito, e assim por diante. Esse processo impulsionado continua e multiplica-se em milhões, até que, em um momento milagroso, começa a respirar. A energia do homem e da mulher continua no descendente, possibilitando que uma nova existência surja no mundo. Irá nascer e crescer, desenvolver-se e disponibilizar-se para a vida. Irá tomar a energia do mundo e devolvê-la, assim como estará pronta para passá-la para outro ser. Essa energia está dentro de nós e tem um lugar entre nós. Essa energia é parte de um movimento maior do espírito e da alma. Infelizmente, esquecemos isso com muita frequência, pressionando e assediando nós mesmos e os nossos filhos.

A energia conecta homem e mulher em cada abraço profundo de intimidade. No entanto, nem sempre nasce algo físico dele. Pode acontecer de nada crescer ou desenvolver-se. Pode acontecer de não haver nada ali disponível para a vida, para que algo físico continue. A energia do mundo não será tomada, nem transferida para outro ser. No entanto, essa energia, mesmo que não se manifeste fisicamente, pertence a nós e tem um lugar entre e dentro de nós. Essa energia também continua a fazer parte de um movimento maior de espírito e alma. Como sabemos e podemos também experimentar, o amor à segunda vista é algo completamente diferente em pessoas maduras. Ele constrói um campo energético diferente que, por sua vez, pode dar ou disponibilizar algo a muitas outras pessoas.

A energia guarda um mistério maior do que nosso pensamento pode processar ou imaginar. O conhecimento ancestral, o antigo pensamento, é apresentado a nós de uma forma que nunca suspeitaríamos. Sabedorias antigas estão, muitas vezes, completamente desprendidas das mãos dos escribas. Não foram incluídas ou contidas em enciclopédias ou coletâneas de qualquer disciplina, uma vez que antigas sabedorias sobre energia estão guardadas nos campos dos povos antigos como um segredo deles e, assim, permanecem. Eles faziam parte do campo e conheciam a energia porque a perceberam dentro de si, levaram-na adiante por gerações, experimentaram-na e viram-na com seus próprios olhos. Para o universo, essas energias não estão sujeitas ao tempo. Nas imaginações humanas, elas são uma questão de anos, mas na realidade são apenas um momento. Da mesma forma, a energia e a vida só se revelam a nós em momentos. É assim que vivemos, de momento em momento. Como? Hoje, presentes, para segurar e expandir este momento único.

Ao esfregarmos intensamente nossas mãos, uma na outra, colocamos essas energias em movimento e podemos senti-las. Com isso, geramos calor nas palmas das nossas mãos, até ficarem bem quentes. Sentimos essa força e reencaminhamo-la a nós mesmos e outros, por meio de um toque suave nos centros de energia, de forma misteriosa e presente.

Resumo

1. *Como nossa vida surge?*
2. *O divino pode ser vivenciado no corpo.*

Notas pessoais

XV

O significado do Aqui e Agora

15.1 Agora, o que realmente importa?

Trata-se de reconhecer e vivenciar a força do "Aqui e Agora" que, a partir do oculto, quer se desenvolver, como que por conta própria, por meio da atenção no momento. Por experiência própria, sabemos que a nossa mente produz, incessantemente, pensamentos e a tão almejada calma não quer se assentar. Na maioria dos casos, trata-se de esperanças, desejos, sonhos e lembranças, mas, frequentemente, também de temores relacionados ao futuro.

Todos esses pensamentos têm algo em comum: eles não têm nenhuma relação com o presente. É por isso que, muitas vezes, somos apartados de nós mesmos, o que, por sua vez, leva-nos a perder de vista a concentração, a atenção em nós mesmos e o engajamento com o ambiente social. Em algum momento, teremos de pagar um preço alto por isso, sem perceber. Porém, como podemos reencontrar nossa força e uma qualidade de vida saudável? Por meio da respiração consciente e da meditação, que nos levam à presença interior. Se quisermos realmente ter sucesso nesse processo, precisamos de estar absolutamente atentos durante o tempo de meditação. Isso não só aumenta a nossa capacidade de concentração, como também nos leva a uma percepção especial. Assim, os nossos órgãos e as nossas células corporais sentem-se abordados e reagem a essa atenção.

Nisso, é totalmente indiferente se estamos voltados para dentro ou para fora, ou seja, para o mundo interior ou exterior. Trata-se da presença no momento. Ela eleva a base do presente que, Ela eleva a base da presença, o que, por sua vez, leva-nos a uma autopercepção não distorcida. Um outro resultado é o início da expansão da consciência.

A presença total tem, todavia, muitos outros efeitos colaterais positivos. Ela nos leva, sem que precisemos fazer algo, para longe do passado ou do temido futuro imaginário, ela nos conduz para o presente e torna-nos capazes de agir. Sabemos o que é possível e o que não é. Por isso, a meditação é o melhor e o mais simples remédio para uma vida saudável, plena e bem-sucedida no Aqui e Agora. Além disso, ela é um contrapeso saudável à dispersão, ao nervosismo e serve para diminuir os níveis de estresse. Todos nós sabemos e conhecemos isso: assim que nos deixamos levar para fora do nosso centro de calma, deixamos de ser capazes de agir. Apenas reagimos. Ou seja, eu me torno uma bolinha de pingue-pongue dos pensamentos que me bombardeiam.

15.2 Como eu encontro o meu centro?

Por meio da atenção, a nossa consciência conduz-nos à vigília, ao que está acontecendo neste momento, no Aqui e Agora. Paralelamente, deriva daí uma curiosidade bastante específica, ou melhor, um interesse e uma flexibilidade na receptividade, sem julgamentos a respeito do nosso ambiente circundante.

15.3 Atenção e presença

O verdadeiro fundamento de toda meditação é a presença total. A atenção ao momento é a chave-mestra para o mundo interior. Sem ela, uma meditação não é nem concebível, nem possível. A meditação leva-nos para o centro interior, para a calma e para longe do autoengano da realidade. Assim que nos apercebermos que, na meditação, existe e está à nossa disposição todo o potencial para a saúde física, mental e, também, preventiva, já não será difícil decidir por esta forma totalmente consciente de Meditação: Cosmic Power®.

Além disso, a meditação Cosmic Power® é o instrumento perfeito para o crescimento pessoal e espiritual. Ela atua preventivamente, tanto a nível físico como mental, e tem um efeito extremamente forte no nosso sistema nervoso e, por conseguinte, no nosso bem-estar geral. A Meditação Cosmic Power® conduz a uma paz e quietude completas. Por isso, ela pode ser praticada em qualquer lugar. Mais uma vez: trata-se, portanto, da atenção à respiração. Nossa atenção não está, dessa forma, voltada para nenhuma outra coisa específica. Não se espera qualquer julgamento, ação ou intenção. O efeito surge por si só.

Durante a meditação Cosmic Power®, nós devemos nos colocar em um estado de extrema concentração e observação. Não faz diferença se surgem pensamentos ou se uma dor no corpo, conhecida ou desconhecida, vem, de repente, à tona. Na meditação Cosmic Power®, mantemo-nos absolutamente distantes de todas essas manifestações que sobrevêm, nós não julgamos, nós apenas observamos. Se pensamentos insólitos surgirem, eles não serão alimentados ou perseguidos de nenhuma forma. Eles também não podem nos levar a tomar qualquer atitude específica.

Ficamos como nada além do que um observador intocado e totalmente neutro e, a cada movimento de respiração, já deixamos para trás aquilo que foi observado. Isso, por sua vez, leva-nos a um estado bastante especial de distanciamento do ambiente, assim como de nosso corpo e de nossa racionalidade. Longe do cotidiano. Poderíamos descrevê-lo como um estado bem peculiar de sublimidade. Desencadeia uma sensação física de uma certa ligação profunda com tudo o que está dentro de nós. Isso é percebido e vivenciado como um sentimento de Ser-Tudo-em-Um. Esse sentimento de Ser-Tudo-em-Um é apresentado como uma experiência, como uma vivência forte, ampla, vasta e aberta que ultrapassa toda a imaginação e só pode ser descrita como uma sombra daquilo que foi vivenciado. Dessa experiência, pode-se concluir que nosso verdadeiro cerne engloba muito mais do que nosso corpo e nossa mente.

Evidentemente, é preciso que haja uma interação entre o corpo, a mente e o Todo que a tudo engloba, em torno de muitos outros componentes. Por isso, podemos afirmar, sem hesitações, que por meio da meditação Cosmic Power®, um processo de autoconhecimento instala-se. Trata-se, aqui, do modus operandi do puro observador das circunstâncias da vida, sem identificar-se com elas e, muito menos, ser influenciado por elas. Isso por sua vez, leva à ampla descoberta da verdade sobre o mundo e sobre si mesmo. Capacidades bastante especiais emergem, também, como efeitos colaterais, como a generosidade e a tolerância. Essas capacidades são treinadas, totalmente em paralelo, por nosso subconsciente, por meio da meditação Cosmic Power®.

Resumo

1. ***Como são criados nossos programas internos?***
2. ***Os diferentes níveis de vibração;***
3. ***Como nosso meio ambiente controla nossos genes;***
4. ***Nosso subconsciente tem mais poder sobre nós do que pensamos;***
5. ***Reescrever nossos programas.***

Notas pessoais

XVI

A programação

De onde vêm as imagens que surgem em nossa cabeça? Como qualquer organismo, nós também fomos programados para reagir aos acontecimentos. Após nosso nascimento, estamos basicamente indefesos. Dependemos totalmente dos nossos pais para nossa sobrevivência. Até atingirmos a idade escolar, também copiamos ao máximo nossos exemplos – seja pai, mãe e outros em nosso ambiente – e os armazenamos como se estivessem em um disco rígido. É um *download*, uma programação que já começou no ventre de nossa mãe, durante a gravidez. Vamos ver de perto o que acontece com uma criança até os seis anos de idade. Durante esse tempo, o cérebro está em uma faixa vibracional baixa, chamada Theta. As ondas Theta são ondas cerebrais que atuam na faixa de frequência de 3 - 8 Hz. Elas se encontram no espectro de frequência abaixo das ondas Alfa. As ondas Theta são, ainda, divididas em "onda Theta baixa" (Theta 1) de 3 - 6,5 Hz e "onda Theta alta" (Theta 2) de 6,5 - 8 Hz. Enquanto ondas Theta 1 atuam, principalmente, em situações de relaxamento profundo, meditação e hipnose, as atividades das ondas Theta 2 dão-se, principalmente, ao adormecer, em momentos de transe profundo, e quando se está sonhando acordado.

Nas crianças, uma proporção permanente dessas ondas Theta é medida. Dessa forma, elas permanecem constantemente em um estado que, nós adultos, só alcançamos durante o sono ou, por exemplo, por meio da hipnose. As crianças vivem praticamente em um estado de transe permanente. Por essa razão, são criativas, uma vez que vivem em um mundo de fantasia, dotadas de uma grande imaginação. Fantasia e realidade permeiam-se alternadamente. Essa é também a razão pela qual as crianças acreditam que podem cavalgar em uma vassoura. Para elas, naquele momento, a vassoura não é uma vassoura, mas sim um cavalo de verdade. Durante os seis primeiros anos de vida, o cérebro da criança encontra-se em estado de hipnose permanente, como um gravador de vídeo. Da mesma forma que um programa, o cérebro da criança registra o comportamento da mãe, do pai, dos irmãos e da comunidade e armazena tudo como em um banco de dados no seu subconsciente. Esse programa é baseado nas experiências de vida dos outros e nós as adotamos. Nós não criamos o programa por conta própria, ele é criado, por meio de observação e cópia, e está armazenado em nosso subconsciente.

O que acontece, a partir dos sete anos de idade, assim que a criança começa a frequentar a escola? Em um exame de eletroencefalograma (EEG), são constatadas oscilações maiores. A criança torna-se criativa. Os programas gravados são utilizados para a moldagem real da vida. Se programas negativos tiverem sido baixados, eles são reproduzidos na vida de forma correspondente. A pessoa irá, então, ter o mesmo comportamento negativo que o modelo. Assim sendo, para uma pessoa o copo está meio cheio e, para outra, meio vazio. A mente ativa a química, que, por sua vez, ativa os genes. É precisamente essa química que vai determinar o carácter da vida de cada um. A vida não segue as suas próprias regras, mas o indivíduo segue as regras de outras pessoas que teve como modelos na sua infância. Por outras palavras, os nossos programas armazenados no subconsciente. O seguinte estudo conduzido acerca do mundo animal mostra como essas conexões são intensas e duradouras: ratos que foram ensinados a temer um certo cheiro passaram esse medo para seus descendentes. O mesmo comportamento de medo foi observado até na próxima geração subsequente. Como se pode, então, criar o próprio programa? O ser humano é um ser criativo e poderia remoldar sua vida. Com a ajuda da sua mente criativa consciente, pode fazer tudo o que quiser e pode descobrir qual é a diferença em relação ao programa antigo. Essa é uma diferença significativa em relação aos animais. Mas será que os seres humanos fazem uso disso?

16.1 Respirar e meditar

Basicamente, a mente criativa consciente é um fator de perturbação. As pessoas acreditam que podem conduzir a vida na direção dos seus próprios desejos e vontades, mas, ao fazê-lo, são repetidamente minadas pelo pensamento inconsciente. De repente, a mente criativa consciente deixa de prestar atenção ao que realmente quer criar e o subconsciente volta a assumir o controle. Ele dirige o corpo de acordo com os programas armazenados. É como um computador com uma enorme capacidade de memória. A mente consciente é o ambiente de trabalho, por assim dizer, no qual só se podem abrir algumas coisas. Porém, o subconsciente é o disco rígido por baixo, onde estão salvos todos os programas.

Assim, quando o subconsciente entra como um piloto automático, a vida, então, passa a ser determinada, apenas em pequena medida, pelos seus próprios pensamentos, desejos e ideias. O que isso significa em termos concretos? Está cientificamente provado que, por mais de 95% do dia, o cérebro mantém-se ocupado com pensamentos sobre o passado. Em uma hora, cerca de 60.000 pensamentos passam pelo nosso cérebro. Dessa maneira, durante apenas 5% do dia, a vida é controlada por seus próprios desejos, anseios e sua consciência. Os programas baixados durante os primeiros seis anos de vida determinam 95% da nossa vida cotidiana. É possível detectar programas negativos? Não! A mente consciente encontra-se no nosso interior, ou seja, ninguém consegue se observar de fora totalmente.

Eu vou dar um exemplo: notei que uma grande amiga, cujos pais eu também conhecia há muito tempo, comportava-se exatamente como sua mãe em determinadas situações. Quando, em meio a um grupo maior de amigos, eu comentei isso, todos, rindo, concordaram comigo. Somente minha amiga ficou indignada. "Como você pode me comparar com minha mãe? Eu sou completamente diferente." Ela ficou chateada. Isso causou ainda mais divertimento. Com exceção da minha amiga, todos tinham reconhecido a semelhança de comportamento. Por quê? Porque ela, em seus primeiros sete anos de vida, havia baixado o comportamento da sua mãe.

É um exemplo de como a vida não é controlada pelos nossos próprios pensamentos, desejos e vontades, mas por programas inconscientes e pelas influências de nosso passado e de nosso ambiente. Não temos nenhuma noção disso e nem queremos perceber que a mente consciente é controlada até 95% pelo subconsciente por meio de um piloto automático. Como os jesuítas vêm dizendo há quase 500 anos, sem que isso seja devidamente compreendido: "Mostre-me um menino, antes que ele complete sete anos, e eu lhe mostrarei que tipo de homem ele será".

Antes de completarmos um ano de idade, nossos inúmeros programas já tinham sido baixados. Na verdade, ainda não estávamos realmente presentes, pelo menos, não conscientemente. Nosso processo de completude corporal só se completa entre o nono e o décimo mês de vida. Nessa nova vida jovem, também não sabíamos quem realmente éramos. Ainda não estávamos aptos para refletir a respeito. Por isso, não sabemos quais programas baixamos. No entanto, eles são nossos programas. Assim sendo, mesmo como adultos, não sabemos quais programas apoiam-nos e quais sabotam a nossa vida.

16.2 A resistência interna

Por meio de constantes respirações conscientes e das meditações subsequentes, nós, inconscientemente, esbarramos repetidamente em nossos antigos programas inteligentes. Essa é a verdadeira razão pela qual muitas pessoas, de uma hora para outra, não conseguem mais respirar profundamente nem fazer sua meditação. É por isso que paramos com Cosmic Power®, com os compromissos e desistimos. Nossos antigos programas e a consciência leve são muito mais poderosos do que o desejo por libertação. Se quisermos realmente reescrever o antigo programa, apesar da resistência, devemos continuar com nossos exercícios de respiração e meditação diariamente, com um sorriso no rosto. Podemos nos observar ao fazê-lo e experienciar a cada dia que, assim que continuamos, em sete dias, no máximo, teremos superado a resistência. Tudo se tornará muito fácil novamente. Quem já superou essa resistência uma vez, consegue também uma segunda e uma terceira vez. Esse é o caminho para a liberdade.

16.3 A reprogramação

Quando compreendemos que nosso ambiente controla nossos genes, também compreendemos algo mais: somos poderosos, porque a química que forma nosso corpo é um reflexo do que está acontecendo em nossa mente. Isso significa: se mudarmos o que está em nossa mente, poderemos mudar nossa vida. Isso significa: com uma única e nova decisão, podemos mudar nossa vida completamente. Todos, portanto, têm o poder de criar para si mesmos uma vida absolutamente fabulosa, com tudo que faz parte dela.

Contudo, para isso, é indispensável uma nova percepção: **não** agimos por meio do cérebro, da consciência, a qual possui o conhecimento a respeito de tudo o que eu digo. Ao contrário, trabalhamos com nossos programas originais, com nossa respiração consciente, pois enquanto o que está nessa consciência não penetrar também no subconsciente, não terá nenhum efeito. Então, você pode falar o quanto quiser e pode discutir infinitamente os problemas, como é o caso da terapia de fala, por exemplo – e nada muda, nada acontece. Mas a respiração consciente tem, significativamente, muito mais poder do que sequer poderíamos imaginar. Uma respiração dirigida, controlada e contínua pode trazer à tona os programas antigos e desativá-los. Da mesma maneira, posso reprogramar meu subconsciente. É assim que eu acabo com o jogo do meu comportamento, dentro de mim e comigo.

Deixemos isso claro para nós mesmos mais uma vez: nos primeiros seis anos de vida, observamos e registramos o comportamento dos nossos pais e do nosso ambiente, dentro de uma hipnose. Isso era necessário para ser um membro funcional em uma família, em uma comunidade. Nós instalamos inconscientemente nosso sistema de crenças, mas, a partir do sétimo ano de vida, criamos um sistema de crenças por meio da repetição constante.

É exatamente a mesma coisa que acontece quando você aprende a andar de bicicleta, por exemplo. Suba no selim, mantenha o equilíbrio, guie, pedale – tudo isso é praticado até que você possa executar tudo automaticamente. Depois, nunca mais é necessário praticar novamente.

Acontece o mesmo com a natação e a corrida – uma vez aprendido quando criança pequena, você pode fazer isso durante toda sua vida. É o mesmo com tudo o que se aprende e com tudo que se copia. Essas habilidades ficam ancoradas no subconsciente. Graças a ele, você não precisa reaprender tudo o que já aprendeu, todos os dias, pelo resto da vida. Quem foi capaz de ler uma vez, sempre será capaz de fazê-lo. O mesmo aplica-se à respiração consciente e direcionada. Diante de problemas, prendemos a respiração e, novamente, são gravados. Se continuarmos a praticar a respiração de forma direcionada, controlada, poderosa e consciente, para dentro da cavidade torácica e, depois, para dentro da cavidade lombar, não armazenaremos mais o negativo de forma alguma.

O que isso significa? O subconsciente não é ruim, apenas é a programação que deixa a desejar. Após os primeiros seis anos de vida, reforçamos os programas do nosso subconsciente. Como? Por meio da prática, por meio da repetição. Quando se repete continuamente algo, por fim, isso se tornará um hábito. Como dizem, "*Fake it until you make it*" (Finja até você conseguir).

Hoje, como adultos, podemos romper esse círculo vicioso com base em muitas descobertas. Como? Com disciplina e perseverança. Isso significa: aprenda, sorrindo, a respirar corretamente e medite. A respiração é a única e verdadeira coisa que nos acompanha desde o início da vida até nosso último suspiro. Reconheça a importância da sua respiração e da troca constante de dar e tomar. A cada vez que você supera a resistência de um choque, você está na escalada para apagar e reescrever o programa antigo. No entanto, a resiliência e a disciplina não são dadas de mão beijada, alcançá-las é, de fato, um trabalho árduo, mas, acredite em mim, vale muito a pena. Portanto, você precisa driblar o subconsciente, porque ele não quer abrir as portas e, muito menos, permitir que se abalem os programas fixos.

Novamente, a consciência leve entra em ação. Aplicado à própria vida, isso significa que: quem não é feliz, pode mudar algo aí. Simplesmente dizer todos os dias: "Eu sou feliz, eu sou realmente feliz" não basta. Como isso funciona? Um suporte diário é quando nos olhamos com outros olhos e não apenas vemos, mas também sentimos, imagens de felicidade à nossa frente. Embora apenas imaginário, isso é imensamente eficaz, pois essa imaginação instaura essa imagem diante de nós. Então, por meio da repetição e da respiração correta, consciente e sorridente no subconsciente, é definido um novo padrão, que testemunha: "Estou feliz". Isso funciona porque 95% da nossa vida provêm do programa inconsciente. Ou seja, mudar algo de maneira totalmente consciente. Essa é a fórmula para uma reprogramação. Assim, não será mais necessário pensar se você pode ser feliz.

Após 40 dias de repetição, o subconsciente aceitou o programa para a felicidade. As ferramentas para sua instalação são repetição, imaginação, visão, paladar, olfato, sentir, convicção, fé, respiração, meditação e sorriso. Deixe-se recriar. Cosmic Power® oferece a possibilidade de reconectar e abrir o sistema de dados inconsciente, para que novos programas possam ser instalados, de forma que antigos estilos de vida possam ser substituídos e sobrescritos. Por incrível que pareça, com Cosmic Power®, por meio da respiração consciente, podemos mudar nossos antigos sistemas de crenças. Se, além disso, ainda praticarmos a gratidão – e há muitas e infindáveis razões para isso – absolutamente nada pode nos impedir de alcançar a felicidade.

Nisso percebi uma coisa: quem sempre tem de lutar por algo específico em sua vida, tem pouco ou nada para fazer com a própria vida. Sua vida não quer que a mesma coisa aconteça com você exatamente da mesma maneira como aconteceu antes. Um programa interior faz-nos lutar para repetir aquilo que veio de outra pessoa. O nosso próprio programa impede-nos, ao mesmo tempo, de alcançar exatamente aquilo que não nos pertence. No entanto, aquele que reescrever o seu programa interno e nele incluir o objetivo desejado, de uma forma significativa e visual, será conduzido automaticamente pelo novo programa automático, ao sucesso do objetivo desejado. Quem precisa esforçar-se muito está fazendo algo fundamentalmente errado. O que é que nos impede de alcançar o que desejamos? São nossas dúvidas, nossa consciência leve e nossos emaranhamentos que recusam o novo programa.

Se sua vida não te agrada, é por causa dos programas internos. Se você quer uma vida melhor, então mude esses programas. Cosmic

Power® fornece a você uma ferramenta poderosa para isso. Ele cuida para que você não tenha de batalhar, dia após dia, pelo novo programa. Respiração disciplinada abre uma porta atrás da outra. Parece tão fácil e tão simples. Repito: faça, por favor, esse exercício – sorrir, respirações conscientes e controladas até o abdômen – por quarenta dias a fio. Se você conseguir, você terá renascido. Tudo pode ser como é. Toda luta é supérflua. Por favor, faça a mesma pergunta todos os dias. Você irá receber respostas às suas perguntas e à sua vida. Perceba que você não é um ser frágil e vulnerável. Você é muito poderoso, mais poderoso do que você imagina. São os seus programas que te tornam vulnerável. Se você mudar seu programa, tornar-se-á invulnerável. Você é seu próprio criador. Solte o passado e domine o presente com a respiração consciente de Cosmic Power® e a sua prática correspondente. Hoje é ontem. Mude o hoje e o amanhã será hoje.

Esse processo interior não só tem um efeito curativo, como também nos liberta de falácias e de expectativas completamente falsas. Apenas quando tivermos aprendido a fazer as perguntas corretas de antemão, é que poderemos receber as respostas certas. E não é só isso: apercebemo-nos, muito rapidamente, de que todo o potencial de todas as possibilidades está disponível para nós, após muita prática. Então, já não falamos de coincidências, mas sim de sincronicidades que são controladas por nós mesmos e por outros lugares. Inconscientemente cegos. Caminhar pela vida com expectativas extremamente altas, com certeza, não leva a uma grande compreensão e apreensão das infinitas possibilidades que estão à disposição de todos nós.

Se conseguimos levar a nossa vida cotidiana com essa postura, então, vivemos realmente como se tudo viesse até nós de algum lugar, no momento certo. Muitas pessoas chamam isso de acaso, mas, de fato, não existe um único acaso no Universo. Tudo é uma conexão. Trata-se de respostas do universo desencadeadas por nossos sentimentos, ações e pensamentos passados. Dessa forma, precisamos enxergar a sincronia como um processo de nosso Pensar e nosso Agir. Nós mesmos estamos, como co-criadores, sempre implicados em nosso bem e nossas dores, assim como em nosso Ser total.

16.4 Como reescrevemos nossos programas?

Cosmic Power® mostra, aqui, o caminho: O primeiro passo é a respiração consciente. A respiração controlada e consciente conduz a um relaxamento mais profundo. Esse, por sua vez, conduz a uma melhor concentração, o que, por sua vez, possibilita uma maior atenção, melhor percepção e, portanto, melhores decisões. Decisões que contemplam mais fatores levam a resultados mais duradouros. Classifico essas como melhores decisões. Melhores decisões abrem caminho para mais sucesso, o que leva a mais alegria e a mais felicidade.

16.5 Exercício

Expire profundamente com os olhos e a boca ligeiramente abertos.

Inspire profundamente até o abdômen.

A depender do quão profundamente relaxados nós estamos, repetimos, na mesma proporção, nossos movimentos respiratórios.

Em todo caso, fechamos nossos olhos somente quando manter os olhos abertos custar-nos muito esforço. As pálpebras confirmam esse processo interior. Por essa razão, continuamos a respiração conscientemente até que as pálpebras se fechem como que por si só.

Desse modo, entramos já numa frequência Theta mais baixa, de 4-8 Hz. Esta induz, por sua vez, a um estado hipnótico. Com uma frequência mais baixa, nosso subconsciente torna-se ativo e pode também ser influenciado. A consciência não está mais no controle. Nessa baixa frequência, nossos olhos reviram-se sozinhos. Eles se viram para cima e para dentro. Nesse estado, estamos libertos de qualquer programa. Contudo, agora, somos capazes de criar novos programas.

Imagine que você está sentado no seu lugar favorito. Observe o que acontece quando você entra em uma frequência ainda mais baixa, na qual, novamente, você expira e inspira. Sua mente está relaxada e você pode ir ainda mais fundo, na frequência Delta. Essa fase precede o adormecer. Às vezes, seu corpo contrai-se, então, você volta novamente. Você pode ver imagens diante de seus olhos. E, nesse estado, entre o despertar e o adormecer, você pode reescrever um programa especial.

Nessa frequência, você pode, agora, criar um novo programa, ao enviar o desejo, com uma imagem, em voz alta ou em silêncio. Por exemplo: eu sou amada e desejada. Imagine isso, visualizando todas as pessoas que já gostam de você, posicionadas atrás de você. E, ao mesmo tempo, mais algumas pessoas vêm surgindo ao lado. Elas se posicionam, uma a uma, atrás de você. Uma fila quase infinita de pessoas. E você se sente cada vez maior e mais forte.

Sinta como isso é para você. Usufrua esse apoio. Sinta a quão forte e intensa é essa força detrás. O quão profunda e interna é essa conexão. Perceba e desfrute desse sentimento. Quando você se sentir completamente preenchido com essa sensação, volte lentamente e abra lentamente os olhos. Por meio da respiração, encontre-se novamente no Aqui e no Agora.

Toda mudança nos menores hábitos conduz a uma mudança no meu ambiente. Não posso salvar o mundo inteiro, mas posso – se eu estiver feliz – criar um mundo melhor para mim, para a minha família, para os meus amigos, para os meus vizinhos e, também, – ecologicamente falando, um mundo melhor para meu jardim.

16.6 O papel de vítima

Algumas pessoas não sabem de suas próprias possibilidades. Assim, elas não conseguem sequer imaginar como elas podem se tornar suas próprias criadoras. Enquanto elas enxergarem a si mesmas como vítimas de seus antigos programas e sistemas de crenças, elas não poderão também ser responsabilizadas por sua própria vida. A consciência leve sentida dessa forma é o motor para essa conduta. Essas pessoas seguem o lema: melhor sofrer que resolver. Então, por exemplo, é mais fácil dizer: “Não, eu não sou responsável pelo fato de estar mal. Não sou responsável por sofrer tanto.”

Quando alguém se torna consciente de que é responsável por sua própria química corporal e, portanto, por seu próprio caráter e vida, então é necessário admitir que ele também continua tendo parte na causa das coisas ruins. Assumir isso para si mesmo é rejeitado por muitas pessoas. As pessoas envergonham-se de olhar para seu próprio fracasso. Por exemplo, elas olham para sua própria doença e dizem: "Por que justo eu? Não tenho culpa pelo que me aconteceu". Então, elas se recusam a olhar para a origem de seu comportamento, pois quem não sabe de algo, também não pode ser condenado por isso, mas o drama, a dor e o resultado não emergem de um minuto para o outro. Toda desventura é apenas uma consequência: de muitas atitudes e decisões individuais. Nada se muda com hábito e com comodidade.

Porém, qualquer pessoa que tenha lido este livro ou frequentado um curso de Cosmic Power® não poderá mais fugir da responsabilidade pela sua própria vida. Assim que sabemos como surgiu a programação e como ela continua, então somos, também, corresponsáveis pelos programas. Dessa forma, não se pode mais inventar desculpas, alegando não saber o efeito que os pensamentos e as ações têm. Enquanto permanecemos ingênuos e ignorantes, somos vítimas. Contudo, assim que nos conscientizamos, podemos retomar o poder e escrever programas de fortalecimento completos, segundo os quais eu sou digna de amor. Quantas vezes já tivemos essa experiência em nossa vida até agora?

16.6.1 *Feedback* de participante de um seminário de Cosmic Power®

A energia universal me dá a sensação de que existe um "Grande Poder". Meu acesso a ele, por meio de Cosmic Power®, é a respiração, a meditação e o desapego, deixar acontecer. Eu sei que não importa o que aconteça em minha vida, a respiração estará sempre comigo. Essa é uma confiança recém-adquirida no "Grande Poder". Eu estou simplesmente feliz. O que mais posso dizer? E o que mais eu quero? Eu tenho tudo. Estou feliz por ter descoberto a energia universal e, apesar da preguiça e desconfiança iniciais, eu tenho feito os exercícios mostrados por você, querida Sophie. Tudo se tornou diferente...

Recentemente, eu experimentei outro milagre, quando meu filho de quatro anos foi completamente curado, no período de um dia, de uma infecção viral diagnosticada clinicamente. Ele estava com febre de mais de 38 graus. Hoje, uma idosa pediu-me para fazer algo por ela. Seu braço quebrado doía muito. Eu coloquei minha mão sobre ela e logo a dor pareceu desaparecer. Obrigada, querida Sophie.

RESUMO

1. ***Como surgem nossos programas interiores;***
2. ***Os diferentes níveis de vibração;***
3. ***Como nosso ambiente controla nossos genes;***
4. ***Nosso subconsciente tem mais poder sobre nós do que acreditamos;***
5. ***Reescrever nossos programas.***

Notas pessoais

XVII

A presença da energia

A energia é a substância do universo. Ela existe em todos os lugares. Ela se move naquilo que chamamos de infinito; em tudo aquilo que não podemos ver nem tocar. Ela se encontra distribuída, igualmente, à margem e em todo cosmos e, ao mesmo tempo, no seu centro. Ela se encontra tanto na escuridão quanto na luz; ela vem de muito longe, mas, ao mesmo tempo, está muito perto. Na realidade, dentro de cada um de nós, há um poder absolutamente indescritível que chamamos de energia.

Essa energia observa-nos, acompanha-nos, alimenta-nos e guia-nos à distância. Por meio da respiração consciente, estamos em permanente troca com ela e com tudo o que existe. Ela nos toma por dentro e leva-nos consigo. Nisso, viaja a milhões de anos-luz. Tudo isso é inimaginável para nós. Ela pulsa nos abismos de profundidades incompreensíveis, que nosso pensamento não consegue abarcar.

A energia vibra sobre cordas e ventos que sustentam a ordem e o equilíbrio. Essa energia é infinita, não é palpável nem pode ser segurada – e, no entanto, está lá. Gostaríamos de poder tocá-la, mas ela desaparece entre as nossas mãos. É intangível, mas está sempre presente. Mistério e pergunta ao mesmo tempo. É um enigma e uma estela trabalhada. É uma aparição e um decreto, uma inspiração e uma expiração. Passa através de nós sem que nos apercebamos e sem que precisemos saber de nada sobre ela como o nosso elixir da vida.

Mesmo assim, ela é o elixir da vida. A energia vital e o nosso objetivo completamente pessoal na vida aguardam, no vácuo, que alguém os decifre. Espera para se unir entre a poeira das estrelas e, depois, ser transportada de volta por fluxos incompreensíveis. Ela circula no divino, naquilo que é mais perto e mais longe. Ela conduz ao distante e ao próximo. Ela se encontra na abundância e onde um copo enche-se com o nada. Em todos esses lugares, também estamos inseridos e existimos.

A energia toma-nos sem que tenhamos de saber quando e como isso acontece. Respira-nos por meio de um sopro indescritível. Acima de tudo, temos a possibilidade de concordar com ela e de voltarmo-nos conscientemente para ela, onde e quando ela se manifestar. Devemos reconhecer que estamos sempre envolvidos de alguma forma. A única questão é: consciente ou, ainda, inconscientemente? Como uma parte ínfima ou gigante? Quando ela se revela na alma, só podemos curvar-nos e fascinar-nos com a sua grandeza e maravilha.

Quando a energia coagula-se em espírito, separa a luz da escuridão. O vento torna-se agitado para separar a água da terra firme. Dos oceanos, a energia retira as formas primitivas de vida e fá-las produzir oxigênio. Mais uma volta pela nua camada superficial da Terra - e os animais começam a respirar. E nós, também, continuamos a respirar. Consciente ou inconscientemente, eis a questão.

Energia é começo e fim. Milhares de sacerdotes a adoravam. Sempre foi dessa forma. Assim era na antiga Suméria e Mesopotâmia. Foi também o caso na mística China e nas culturas do Oriente Médio. Foi assim nas montanhas e nos vales do Egito, assim como na sóbria Grécia e na bélica Roma.

Como uma força da natureza, a energia manifesta-se em milhões de formas, diante de nossos olhos. Ela é cor e textura. Ela é grande e curiosamente pequena em sua forma. Ela é sobriedade e exuberância. Ela é o verde da Amazônia e o branco dos Alpes. Ela está presente em todo lugar onde nós observamos algo. O espantoso é que podemos nos voltar conscientemente para ela e fazer-lhe perguntas. Ela vai nos responder, é necessário apenas um pouco de perseverança. Como uma força da natureza, ela se manifesta diante de nossos olhos e ouvidos.

Ela é trovão e silêncio. Ela é o aroma das ervas e o grito de uma mulher dando à luz. Ela é o grito do recém-nascido e o silêncio do embrião. É o som do silêncio imperceptível da alvorada, e o canto dos pássaros no amanhecer. É o zumbido do sol brilhante e o silêncio sagrado da lua, assim como a fragrância dos bosques, rosas e lírios do vale. Energia é o pôr do sol, o qual entoa o repouso para o dia. E você faz parte do Todo. Consciente ou inconscientemente?

17.1 Cosmic Power®

Como uma força da natureza, a energia existe em milhões de formas, tocando e penetrando constantemente na nossa pele. Envolve-se nela, toca-a e cobre-a com um orvalho suave. Quando nos banhamos no mar, ela refina a nossa pele com o sal e a sua antiga magia. Ela é onipresente. Sempre salgada, ela sai dos nossos poros, agitados ou suados. Se nos voltarmos para ela completamente despertos, conscientes e presentes, não há nada que não seja permeado, mobilizado e remodelado. Com a ajuda de nossa mente, nossa respiração e nossas mãos, podemos neutralizar tudo o que queremos mudar. Com Cosmic Power®, temos, de repente, em nossas mãos, uma ferramenta que funciona como uma espada com consciência. O resultado depende da nossa disciplina e postura. Por essa razão, devemos ficar atentos, e só fazer a imposição de mãos em alguém nas seguintes situações:

- Quando pudermos nos aproximar de um acontecimento 100% sem intenção de julgá-lo;
- Quando estivermos abertos;
- Quando estivermos centrados;
- Quando pudermos permanecer sem intenção;
- Se você e a outra pessoa não tiverem álcool nem outras drogas no sangue;
- Se houver tempo suficiente disponível.

Se não pedirmos nada em troca, a menos que o incluamos na nossa profissão diária. Então, cobramos por nosso tempo, usado igualmente como antes, sem Cosmic Power®.

A misteriosa energia, que podemos ativar em nossas mãos e colocar a serviço de outros seres vivos, vem de tão longe que parece não ter origem nem fim. E, ainda assim, está tão perto, ao alcance da mão. É um túnel profundo e longo do infinito que conecta todos nós com as civilizações do passado, dos antepassados, dos vivos e dos mortos, e com o futuro.

Cosmic Power® é uma frequência própria e um idioma próprio e só se torna ativo e vivo em uma postura muito especial de humildade.

De onde vem a energia, se ela está em toda parte? Se já está presente, ela ainda precisa vir de algum lugar? De onde vem a energia se não podemos tocá-la com nossas mãos, se ela já está presente? De onde vem a energia quando não podemos vê-la nem tocá-la? E, ainda assim, ela já está agindo antes de termos conhecimento do resultado.

De onde vem a energia, se apenas nos curvamos humildemente diante dela? De onde ela vem, se nós podemos colocar-nos a seu serviço, sempre conscientes da existência de algo maior?

De onde, para onde, por meio do quê? O conhecimento antigo da energia vem do universo infinito. Ele está em tudo que vive, respira e existe. A grande questão permanece: como posso colocar esse conhecimento e habilidade, essa sabedoria, em prática e trazê-la para a realidade? Inconsciente ou conscientemente? Muito simples: por meio da respiração consciente, da meditação e do silêncio.

Tudo isso é apenas uma questão de momento em momento. Nessa contemplação, emerge uma imagem que está em contato com a alma. Ao mesmo tempo, tudo é grande, próximo e distante.

17.2 Inconsciente ou conscientemente?

Os sábios de todos os tempos preocuparam-se com a energia. Eles eram observadores do seu comportamento e de suas manifestações. Eles se comprometeram a explorar seus segredos e mecanismos. E eles guardaram, a sete chaves, o conhecimento adquirido ao longo dos séculos.

Os sábios de todos os tempos quiseram decifrar qual sua fórmula e número, seu tamanho e proporção, sua consistência e composição.

Contudo, a energia desapareceu diante dos olhos dos observadores e do olhar estupefato dos sábios. Por quê? Porque ninguém pode reivindicar autoridade exclusiva sobre a energia. Ela pertence igualmente a todos, ricos ou pobres, educados ou analfabetos.

Inconsciente ou conscientemente?

No entanto, eles seguiram o rastro dessa sombra pálida. Muitas observações foram descritas; em tempos antigos, bibliotecas inteiras foram preenchidas com elas. Havia milhões de tábuas de argila e monólitos, papiros e rolos de pergaminho. Muito do que foi escrito e armazenado queimou no fogo, e muitas dessas compreensões foram transformadas em pó – porque elas não pertencem a ninguém. Ela obedece ao coração e, somente, ao coração. Uma sabedoria ancestral existe há gerações e está presente em nós como informação. Os segredos de outrora são, agora, um assunto aberto e reconhecido, confirmado na ciência. São boas notícias para a saúde física, mental e espiritual.

Inconsciente ou conscientemente?

17.2.1 *Feedback* **de participante de um seminário de Cosmic Power® e pediatra, Nina Pavlova**

Minha filha mais velha sofre da rara Síndrome de Williams. Ocorre espontaneamente por meio da perda de material genético no cromossomo 7, durante a formação das células germinativas. Os sintomas incluem constrição e alterações vasculares, especialmente perto do coração, características faciais típicas (a chamada face de gnomo ou fadinha), nanismo, retardo mental leve a moderado, e dificuldades para comer e beber. Tudo isso se aplicava à minha filha. Não havia terapia e minha filha deveria ser internada em uma instituição especial para crianças portadoras da síndrome.

Em dezembro de 2017, eu participei, pela primeira vez, de um curso de Cosmic Power®. Exatamente 40 dias após o seminário, eu mesma fiz a imposição de mãos sobre minha filha, no Centro Energético 7 e, de forma local, sobre o coração. Após esse evento, dentro do período de 40 dias, minha filha cresceu doze centímetros. Em fevereiro de 2018, eu repeti o seminário de Cosmic Power®. Um exame médico posterior mostrou que minha filha podia frequentar um jardim de infância regular e que ela tem uma memória muito boa. Sua anomalia cardíaca também desapareceu. No geral, ela se desenvolveu física e intelectualmente de acordo com a idade.

Pude, também, notar o efeito maravilhoso de Cosmic Power® no meu trabalho como médica. Uma criança de cinco anos teve febre de 43 graus. Eu coloquei minhas mãos em seu Centro Energético 7 e, de forma local, na testa, por cinco minutos. Em seguida, a febre baixou para 40 graus e, meia hora depois, para 38,8 graus. Na sequência, a criança adormeceu, acordou após 18 horas e estava saudável. Outra criança, de um ano e meio, teve febre alta devido à herpangina, uma doença infecciosa da mucosa oral que ocorre principalmente na infância. Nenhuma terapia ajudou. Por essa razão, a criança precisou ser internada e receber infusões. Eu fiz a imposição de mãos sobre a mãe dela, por cinco minutos, no Centro Energético 5e, de forma local, na garganta. A criança estava no colo da mãe. Na manhã seguinte, ela estava sem febre, comia com apetite e não precisava mais de nenhum medicamento.

Resumo

1. ***Energia, a substância inextinguível em formas inesgotáveis;***
2. ***Energia – espírito – respiração como chave universal;***
3. ***O grande segredo da energia em permanente transformação;***
4. ***Entender a energia – compreender e aplicar.***

Notas pessoais

XVIII

Cosmic Power® como Ser eterno

O corpo físico tem um começo e um fim. Na sua profundidade, atua um movimento permanente de construção e destruição. Dia e noite, luz e escuridão, frio e calor, sístole e diástole, inspiração e expiração se alternam. Nisto, o segredo da vida está armazenado em aprender essa respiração. Então, por que não devemos colocar a energia em uso? Foi exatamente isso que Dasira Narada se perguntou, quando se retirou para o Himalaia, na terceira etapa da sua vida, e descobriu a conexão entre respiração, meditação e imposição de mãos. O professor retornou à sua universidade no Sri Lanka e ensinou isso aos seus alunos. Assim, ele teve a possibilidade de pesquisar, todos os dias, sua descoberta com seus estudantes.

Os seguidores desse processo de cura anímico, espiritual e físico, logo se desenvolveram em um enorme movimento. A simples aplicação e manuseio desse método impressiona, hoje, tanto quanto antes. Ele é quase insuperável. Por qual razão? Ele segue a antiga sabedoria do TAO: "Menos é mais". Não, não por horas – apenas por cinco minutos. E exatamente isso é o inconcebível. Porque é aprendido nesse método, o eficaz, é que possamos nos desconectar por um brevíssimo momento, de modo que os campos quânticos possam entrar em ação. E isso não é uma questão de tempo, mas, sim, de um acontecimento momentâneo. Interiorizar-se nesse processo e expor-se a ele é uma arte.

18.1 Tempo sem tempo

Faz-se necessária uma compreensão totalmente nova. Foi assim que encontrei a energia universal, após uma longa e permanente busca. Até hoje não consegui encontrar um método mais eficaz de crescimento mental e espiritual que tenha, aproximadamente, o mesmo resultado. E tudo isso sem longas horas de sessões e análises. Simplesmente respire profunda e conscientemente. Tudo o que eu posso dizer e colocar em palavras é uma imitação barata do que pode ser experimentado e do que é possível. Eu me pergunto constantemente por que tão poucos conseguem. Já ouvimos tudo isso centenas de vezes. Cosmic Power® é mínimo e, ao mesmo tempo, tão grandioso. Para mim, simplesmente o maior. O essencial não demanda muito tempo, mas uma imensa disciplina e presença. E se, quando crianças, não tivemos esses como modelos, então, dentro de nós, não existe nenhum receptor para tal e, portanto, nenhuma ressonância. Porém, podemos recuperar tudo isso.

A respiração consciente determina o ritmo de como o ar entra e sai do nosso corpo. A respiração é um momento que se forma, de instante a instante. É um movimento automático que conduz à vida e à morte, que nos desperta e, também, permite-nos dormir. A vida é inspirada, a morte expira. É um constante despertar para a vida e para a morte. Aplicado conscientemente, o ar permeia-nos com sua força do ser e leva-nos consigo, a cada momento, a diferentes dimensões. Se estivermos acordados e presentes, também nos leva muito mais longe.

18.2 A questão: inconsciente ou conscientemente?

Somos ignorantes? O que está nos impedindo? O que nos impede de experimentar e fazer tudo aquilo que a energia da criação faz de forma tão fácil? É o nosso ego? O ego em nós quer que sejamos melhores, maiores, mais ricos, mais famosos, mais reconhecidos, mais bonitos, mais inteligentes, etc. Todos esses sentimentos, desejos e ideias permanecem na superfície, uma vez que os programas inconscientes, muitas vezes, dizem o contrário e, consequentemente, desligam a energia desses mistérios e possibilidades, o milagre dentro de nós. Assim, permanecemos apenas mais fortemente ligados a essas concepções separatistas e egoístas.

Por causa disso, as maravilhas de Cosmic Power®, que são exatamente o oposto das anteriores, permanecem adormecidas em nós por muito tempo. Isso não precisa ser assim. No entanto, cabe a cada um decidir se o milagre se revelará, como já aconteceu com muitas pessoas. Como? Por meio de uma decisão pela disciplina e pela perseverança. Entendo bem que seja tão difícil acreditar em algo intangível. Apenas respirar conscientemente? E tudo haveria de mudar? SIM, e de novo Sim!

Experimente. Assim que sentir dor, coloque as mãos nas partes específicas do seu corpo, tal como aprendeu no curso. Isso é precedido de uma respiração consciente e de uma meditação profunda. Você vai sentir como o seu se subconsciente levanta e tenta dissuadi-lo dessas ações. Não vai conseguir ficar quieto durante o tempo previsto, nem vai querer manter os olhos fechados. Aqui e ali, vai dando uma coceira, uma pontadinha, uma comichão e por aí vai. Quem é que está no comando aqui? **Inconsciente ou conscientemente?**

18.2.1 *Feedback* de participante de um seminário de Cosmic Power®

Quando eu me sentei na aula de Cosmic Power® e ouvi o que você estava dizendo, eu não acreditei em nenhuma palavra. Eu achei tudo tão exagerado e pensei: "Se isso fosse verdade, não estariam aqui sentadas apenas 500 pessoas, mas sim 5.000 pessoas". Quando minha pressão voltou a se desregular, de repente pensei em Cosmic Power® e disse a mim mesma que não tinha nada a perder. Então, eu tentei aplicar o que tinha aprendido ao longo dos cinco dias. E eis que, passados 15 minutos, senti-me bem. Minha pressão estava normal novamente. Então, fiquei pensando em como isso era possível. Eu queria saber mais sobre esse fenômeno. Muitos dos meus pacientes tinham o mesmo problema que eu. Como ainda não há nenhum medicamento disponível comprovado que possa ajudar a controlar a pressão arterial constantemente flutuante – ou muito alta ou muito baixa – mal não faria se eu continuasse a usar Cosmic Power®.

Embora, no início, eu não tenha acreditado, eu sempre obtinha sucesso. No curso, fiquei aborrecida, por ter de ficar cinco dias aprendendo a respirar. Além disso, como médica (radiologista), eu estava familiarizada com muitas das coisas que tinham sido contadas. Eu me perguntava o tempo todo o que eu estava fazendo ali, sentada com essas pessoas, por cinco dias inteiros. Mas hoje eu devo admitir, decoração aberto: eu pude ajudar a mim mesma e a todos os meus pacientes que sofriam com esse problema. Hoje eu digo: "Que milagre!" Eu sei: os comprimidos podem fazer muita coisa. Mas o que eu posso fazer agora, nenhum deles pode. Hoje eu me envergonho da minha falta de compreensão e da minha arrogância. Sim, o jaleco branco também já tinha me mudado. Mas agora eu estou com os dois pés no chão novamente. Obrigada!

Quem nunca experimentou uma nova informação que surge assim, de repente? Ela nos permeia e transporta-nos para outras dimensões, onde tudo é possível. O que chamamos de milagres, aqui, é a vida cotidiana, lá.

18.3 A interação

Respirar e sorrir são dois movimentos que dançam no mesmo ritmo. Nesse processo, o ritmo da respiração determina a batida. O tempo acaba com o som e o silêncio, porque cada movimento de inspiração cria um sussurro, e cada expiração deixa sua própria marca. É como o rastro de um cometa?

18.4 O diafragma

O diafragma é um músculo estriado esquelético que separa as cavidades torácica e abdominal. Ele tem forma de cúpula e, no ser humano, tem de três a cinco milímetros de espessura. Em repouso, realiza de 60% a 80% do trabalho muscular necessário para a inspiração. A "respiração diafragmática" deveria levar à "respiração abdominal". A porção muscular do diafragma é dividida em três partes, de acordo com sua origem: lombar, esternal e costal. Todas as três partes terminam na aponeurose comum, que consiste em fibras entrelaçadas de tendões.

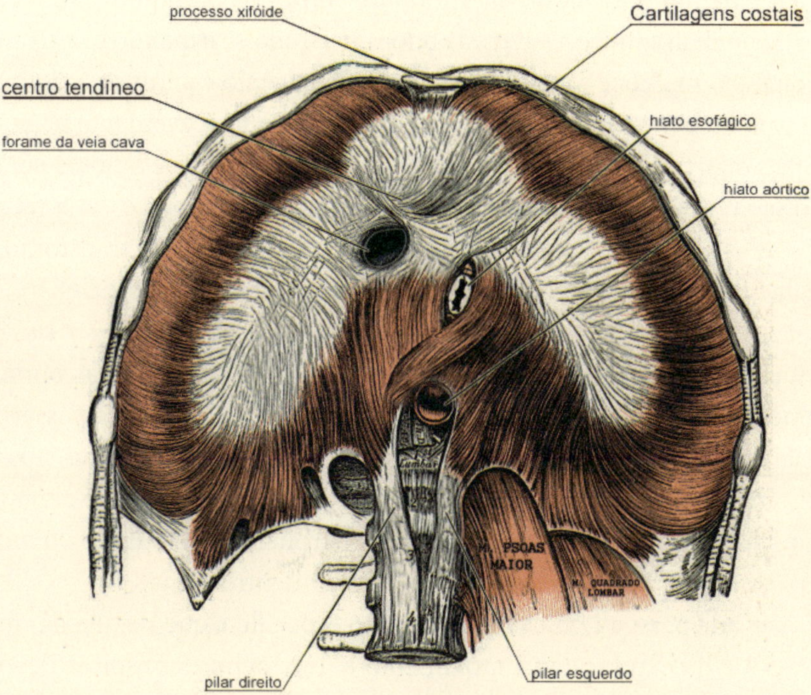

Diafragma visto de baixo

O diafragma, que é curvado em direção à cavidade torácica, contrai-se e expande-se, especialmente durante nossas respirações conscientes. Esse processo de respiração consciente amplia a cavidade torácica. Pulmão e diafragma são conectados um ao outro, como duas placas de vidro umedecidas e sobrepostas que, embora não possam ser separadas uma da outra, podem ser deslocadas uma contra a outra. Como esse fluido (que promove a umidade) não consegue se expandir, o pulmão distende-se à medida que a cavidade torácica se expande. As alterações de pressão, dentro da cavidade torácica, provocadas pelo diafragma, são importantes para o transporte de sangue nas veias da cavidade torácica.

Assim como qualquer outro músculo, a musculatura diafragmática pode ser treinada e fortalecida com exercícios de força. Pesquisas nessa área têm mostrado que, com o treinamento apropriado, a fadiga dos músculos respiratórios diminui significativamente e a digestão melhora.

Quando o ar, como algo infinito, entra nos brônquios, nos pulmões, no diafragma e na região abdominal, tudo se expande e se dilata. A digestão melhora consideravelmente. O oxigênio e a informação que ele contém penetram no nosso sistema, deslizando suavemente na corrente sanguínea e chegando ao coração. A nossa barriga e o nosso coração são o nosso primeiro cérebro e são muito mais rápidos, para reconhecer as situações, do que o nosso cérebro. A informação é transmitida. Cada célula recebe a sua parte para completar o seu próprio ciclo.

A respiração é a mensagem da vida e de nossas emoções, e nosso coração responde-lhe. Assim como o mar se move com suas ondas, como os galhos das árvores balançam ao vento, e como os pássaros se lançam aos ares com o bater de suas asas, da mesma forma, nossa existência oscila em um movimento que vai e vem. Inspirar e expirar, como uma melodia de vida, pode nos sincronizar com o fluxo do universo, no qual TUDO é exatamente como é dentro de nós.

Cada pessoa tem um ritmo muito específico, que resulta da inspiração e da expiração. O movimento e a maneira de respirar determinam o metabolismo posterior, a química e a troca de informações, ou seja, o percurso futuro do Ser. No ritmo especial da respiração de Cosmic Power®, uma nova melodia é programada: é a melodia do coração, do amor, da gratidão, da compaixão, da não intencionalidade, da humildade e da modéstia – sem ego. O ritmo da respiração consciente, quando praticado de forma consistente, determina o batimento cardíaco e a condição física do coração. A harmonia e o crescimento pessoal serão a consequência. Com a força dos batimentos cardíacos, o sangue transporta as novas informações, obtidas por meio da respiração, para cada canto do corpo. Por meio de meditação subsequente, todo o interior é preenchido com esse fluxo de movimento. Dentro de nós, um grande movimento é desencadeado, e esse movimento sempre avança e anima sequências surpreendentes.

Você está junto nessa? **Inconsciente ou conscientemente?**

18.5 A aplicação do ritmo

Nossa percepção convida-nos a guiar nossas mãos aos lugares onde existem bloqueios, para fazer fluir a energia, da qual a alma tem sede e pela qual o corpo clama. Com nossas mãos, tocamos o ponto que se manifesta e permanecemos totalmente presentes e despertos. Todo o resto, deixamos conscientemente para Cosmic Power®.

Entregar-se a algo novo significa sempre vibrar na mesma frequência. É como afinar um instrumento musical. É simplesmente estar em ressonância com o mesmo som. Todo o resto fica de fora, sem eco.

Ressoar significa conectar-se na mesma frequência. Nesse estado, podemos servir outras pessoas e seres incorpóreos, com nossas mãos e com nosso estado de consciência. Nos disponibilizamos como um canal. Como? Completamente centrados, livres de qualquer desejo ou presunção, extremamente humildes e cheios de abertura, cuidado e amor, de maneira absolutamente presente.

Embora o ar e a respiração sejam transparentes, podemos nos unir, uns aos outros, na mesma frequência. Isso sobrescreve artigos antigos no nosso corpo, nas nossas células e, ao mesmo tempo, no corpo do nosso cliente. Cada vez que dedicamos o nosso tempo a alguém e fazemos a imposição de mãos, a energia pura flui primeiro através do nosso próprio corpo, levando-nos com ela para a saúde mental e física e para o crescimento em todos os níveis. Somente quando estivermos sincronizados com o Cosmos e cheios de energia, é que a energia de Cosmic Power® poderá fluir para o cliente.

18.6 Um novo começo

O ritmo da nossa vida está na respiração, no movimento e na expansão. Se nos permitirmos, de maneira consciente, receber algo maior, conseguiremos reescrever, positivamente, todas as informações negativas, pesadas e prejudiciais.

Completamente conscientes, buscamos nos lembrar do que nossas mãos têm feito, até agora, por nós mesmos ou contra alguém.

18.8 Exercício

Feche os olhos, faça a respiração consciente e espere até que seus olhos sintam a necessidade de se fecharem. Então, coloque as mãos sobre as coxas, com as palmas voltadas para cima, e contemple-as interiormente.

O que suas mãos têm feito por você e pelos outros até agora? Sorria para elas e espere que elas lhe contem sua história. Dê a elas todo o tempo que precisarem.

Você está surpreso ou envergonhado? Suas mãos merecem sua gratidão? O que mais? Cuidados? Descanso? Amor? Devoção? Reconhecimento?

Prometa-lhes algo!

Espere mais alguns minutos.

Então, expire e inspire.

Pelo menos, três vezes.

Então, volte para o aqui e o agora.

18.7.1 *Feedback de participante de um seminário de Cosmic Power®*

A essência do que quero dizer é que é bom meditar e respirar conscientemente todos os dias. Não apenas para fazer algo de bom para si mesmo, mas também porque ninguém sabe quando alguém será chamado para servir.

Tenho praticado alguns tipos de trabalho relacionados com energia: Qi Gong, Tai Chi e Cura segundo o Mestre Choa Kok Sui – todos métodos maravilhosos. Para mim, no entanto, esse estilo de vida com a energia, chamado Cosmic Power®, é o mais fácil e mais eficaz de todos. Nós dizemos: não acredite em milagres, viva com eles! E é isso que eu faço agora, com toda convicção.

Resumo

1. *Como nos renovamos constantemente;*
2. *Em ressonância com a fonte criativa dentro de nós;*
3. *Como uma nova informação muda nossa vida;*
4. *A tarefa de nosso diafragma;*
5. *O ritmo interior;*
6. *Como dominamos o ritmo interior por meio da respiração consciente;*
7. *O milagre de Cosmic Power®;*
8. *Depende de nós mesmos abrir o miraculoso dentro de nós. Para isso, precisamos de uma decisão pela disciplina e pela perseverança.*

Notas pessoais

XIX

Cosmic Power®, o processo instantâneo

Podemos passar décadas sem comida nem bebida, sem que isso afete nosso metabolismo, mas nenhum ser humano pode sobreviver nem viver sem o elemento invisível: ar. Os pulmões são nosso maior órgão. Com sua superfície totalmente estendida, os pulmões ocupariam a área de dois campos de futebol.

Muitas vezes, nem temos consciência do quanto o ar e a respiração são importantes para nós. Por meio do sangue e da contração do coração, o oxigênio é distribuído por todo o corpo. Para funcionar, nosso cérebro, sozinho, precisa de oitenta por cento do oxigênio absorvido. Se não for abastecido com oxigênio, mesmo que por apenas alguns minutos, o cérebro pode sofrer sérios danos. O oxigênio é o alimento para o cérebro, assim como a comida é o alimento para o corpo.

A maioria das pessoas respira de forma superficial pelos brônquios. A respiração efetiva envolve o diafragma e a região abdominal. A respiração é um componente importante da vida e o mais importante componente de Cosmic Power®. Por meio dos exercícios respiratórios, a pessoa consegue, em poucos minutos, sair do alto nível de estresse – a atividade máxima do sistema nervoso simpático – e voltar, imediatamente, à harmonia, com o sistema nervoso parassimpático e todo o sistema nervoso. O quão forte é o efeito dessa forma de respiração pode ser verificado em nossos órgãos, em poucos minutos. As medições de variabilidade da frequência cardíaca (medidas de VFC) comprovam a eficácia da respiração consciente.

Na pele de uma pessoa é possível observar se o corpo está suficientemente suprido com oxigênio. A pele fica delicadamente colorida como um pêssego. Se houver muito pouco oxigênio no sangue, a pele adquire um tom levemente acinzentado, amarelado ou esverdeado. E para as rugas, em todo o corpo, é alta temporada.

Faça um **teste**: Com o polegar e o dedo indicador, belisque a pele da parte superior da mão e puxe-a para cima. Se, após soltar, essa dobra permanecer, e a pele não voltar imediatamente à sua posição original, isso evidencia uma insuficiência de oxigênio no sangue e tecidos do corpo. Isso significa que é necessário ingerir mais líquidos e praticar mais exercícios. Todos podem aprender essa respiração consciente e eficaz, a qualquer momento, em um curso, e aproveitá-la para o resto da vida. Tudo o que uma vez aprendermos, não desaprendemos mais. Infelizmente, constatei que o efeito da energia curativa não flui, se quisermos conservar tudo apenas para nós mesmos. Obviamente, para ativar essas energias, é necessário estar em um campo forte e poderoso – por assim dizer, em um grupo de pessoas. Uma possível explicação para isso é que é mais provável que essas frequências ou energias especiais sejam potencializadas em um grupo, e que o grupo, como um todo, amplifica o sinal e o canal. Mesmo depois, o campo conjunto permanece como um todo. Se, posteriormente, apenas uma pessoa, em um determinado momento e lugar, reconectar-se, por meio da respiração, cada pessoa que integrou o grupo, estará, naquele momento, automaticamente presente e energizada com essa frequência de cura. Por esse motivo em si, é compreensível que o que foi aprendido nesse método seja tão eficaz, e que algumas pessoas só falem de milagres.

De acordo com a medicina tradicional chinesa, o pulmão é um órgão das emoções. É nele que se localiza a tristeza. Aquele que consegue rir bem precisa de ar. Todos sabem disso: depois de muitas risadas, geralmente, ficamos com os músculos abdominais doloridos. Dessa maneira, a respiração correta ajuda-nos a ter mais alegria de vida. Respirar corretamente e tocar os arcos costais inferiores, durante a respiração, servem como antidepressivos.

Na minha experiência, Cosmic Power® é o método mais eficaz e rápido para a ampliação da consciência. Ele nos conduz à unidade de tudo. Nossos emaranhamentos e nosso ego, às vezes, constroem barreiras à nossa frente para, supostamente, proteger-nos. Então, há resistência à respiração e à meditação, que as tornam quase impossíveis para nós. Portanto, são necessárias a maior força de vontade possível e disciplina absoluta. Uma boa atitude seria: **nada nem ninguém vai me impedir nem me apartar disso. Nem os meus antepassados nem meu ego.**

E isso continua cada vez mais, isto é, sempre em frente, nunca para trás. Se utilizarmos essas técnicas, também atrairemos outras pessoas para nossa vida. Tudo será diferente em nossa interação com nossos velhos conhecidos. Porém, não sofremos nenhuma perda com isso, pelo contrário, muitas pessoas novas estão sendo atraídas para nossa vida, exatamente de acordo com nossa frequência. Vale a pena observar esse processo mais de perto.

19.1 O indivíduo e o grupo

O que eu ainda hoje não entendo, embora tenha usado e ensinado Cosmic Power® por décadas, é o seguinte: por exemplo, se você disser a um membro da família como respirar, com base em sua própria experiência com Cosmic Power®, você vai descobrir que nada acontece. Aparentemente, deve ser um grupo cujos membros sejam guiados juntos e, então, como um grupo, liberem energia suficiente para entrar juntos no outro plano e abrir novas portas. Se muitos batem ao mesmo tempo, parece que as portas se abrem mais rapidamente. Aparentemente, em grupo, somos capazes de gerar frequências mais fortes do que individualmente. Ao que parece, no universo, um indivíduo tem menos importância do que um grupo.

O que cada indivíduo recebe, com as instruções do curso de Cosmic Power®, permanecerá com ele por toda a vida – desde que continue a praticar regularmente. Uma vez aprendido, sempre disponível.

Um efeito particularmente positivo é frequentemente observado em problemas cardíacos e circulatórios, bem como em queixas de origem desconhecida. Graças à prática regular, foi possível evitar consequências físicas decorrentes de acidentes vasculares cerebrais (AVC).

Há algum tempo, uma mulher muito conhecida e influente participou de um dos meus cursos de Cosmic Power®. Ela disse: "Eu não entendo isso. Se apenas 5% do que você diz for verdade, o mundo inteiro deveria estar sentado aqui". Com toda sua energia, ela espalhou meu método para seu grande círculo de conhecidos, mas ela também notou que, muitas vezes, era ignorada quando se referia a Cosmic Power®. Isso a deixou tão triste que, depois de cinco anos, ela deixou de oferecer cursos. Ela explicou que, em sua vila, todos a conheciam, e novas pessoas quase nunca iam àquela área remota. Até hoje, ela vive dessa forma. Em situações como essa, sempre me vem à mente o Evangelho de Mateus, capítulo 22, versículo 14, que diz: "Muitos são chamados, mas poucos são escolhidos".

Cosmic Power® é muito mais do que respirar, meditar e fazer imposição de mãos. É algo completamente diferente, algo que ainda não é reconhecido no mundo. O que distingue Cosmic Power® de outros métodos conhecidos por mim? É o fator de tempo. Eu preciso apenas de dez minutos, não mais que isso. Não de horas. O fato de eu precisar apenas de dez minutos não tem nada a ver com o método, mas sim, comigo. De quanto tempo preciso para interagir com o ponto central do campo? Isso é tudo o que importa. Cosmic Power® é um processo instantâneo e atemporal. Para se conectar com esse canal, estimamos dez minutos. Uma vez conectado e ajustado, é um fenômeno de segundos, até que a passagem total aconteça.

Existem métodos semelhantes que, porém, são completamente diferentes em seus resultados e não são comparáveis. Parece-me que uma nova humanidade está se formando. E Cosmic Power® proporciona processos de consciência necessários para isso. Eu garanto que realmente procurei por métodos eficazes em todo o mundo e tentei tudo o que ouvi ou li a respeito. Cosmic Power® é TUDO. E TUDO nunca rejeita coisa alguma. Porque também é parte de TUDO. E, também, uma parte de mim. Ainda assim, Cosmic Power® continua sendo TUDO para mim.

19.2 O outro

Pelas minhas experiências, em momentos realmente cruciais da vida, cada um de nós sempre depende, ao final das contas, de outras pessoas. Só podemos progredir efetivamente se, primeiro, colocarmos outra pessoa no espaço que deixamos vago ou se instruímos essa pessoa a fazer isso.

Quanto mais pessoas trouxermos conosco e puxarmos atrás de nós, mais poderosas serão nossas próprias energias e nossas habilidades para realizar milagres, no sentido mais genuíno da palavra. E ainda mais alto, amplo e profundo será o plano que alcançamos. E muitas pessoas em volta de nós irão se beneficiar disso.

19.3 Cosmic Power® é ilimitado

Outra observação tem sido confirmada para mim, repetidamente: tudo o que gosto de fazer para os outros, estou sempre fazendo, em última instância, apenas para mim mesma. Pois, exatamente o que eu dou aos outros, eu recebo de volta, muitas vezes mais. Tudo que eu faço apenas para mim acaba num beco sem saída e torna-se cada vez menos. Nesse sentido, eu determino meu próprio futuro. Somente quando eu tiver entendido isso em sua totalidade, poderei mudar as coisas essenciais em mim.

Todas as minhas ações, na esfera pessoal, significam muito pouco ou quase nada, no âmbito da possibilidade. Pois o indivíduo – como já ouvimos – tem pouco peso no universo. Embora o indivíduo assuma seu lugar como peso físico, no campo espiritual, um egoísta continua sendo um peso leve, em comparação com um grupo.

Os exercícios respiratórios podem ser utilizados em várias situações, por exemplo, antes ou durante uma entrevista de emprego (aqui, é claro, de uma forma modificada), em situações difíceis ou antes de comer. Para isso, deve-se olhar para o prato cheio, colocar as mãos, levemente, na borda do prato e respirar conscientemente algumas vezes.

Por meio de Cosmic Power®, eliminam-se as energias dos alimentos que não são boas para o corpo. O mesmo aplica-se aos medicamentos: antes de tomá-los, olhe conscientemente para eles e respire. Efeitos colaterais são, dessa forma, eliminados. No entanto, os medicamentos farão o que for necessário no corpo. Cada célula do nosso corpo sabe, exatamente, o que está acontecendo, pois Cosmic Power® atua por meio do sistema nervoso. Ninguém precisa acreditar em mim, é só experimentar.

A respiração e a meditação de Cosmic Power® atuam via sistema nervoso, sem lapso temporal. Nisso, uma coisa é muito importante: Cosmic Power® nunca pode nem deve ser misturado com outros métodos. O método só conduzirá ao sucesso desejado se o direcionamento e o ajuste aprendidos forem seguidos com exatidão.

19.3.1 *Feedback de participante de um seminário de Cosmic Power®*

Às vezes, quando estou dirigindo, noto que outros motoristas se comportam de maneira estranha. Eles são agressivos ou desatentos, há congestionamentos e eu me vejo em meio a "ondas de sinal vermelho". Portanto, a jornada não está fluindo bem. Aqui é importante reconhecer que a situação externa reflete apenas meu estado interior. EU estou sem foco, tensa, agressiva – e não tenho nenhuma consciência disso. Assim que percebo a situação, começo a respirar muito conscientemente. E, de repente, há apenas ondas de sinal verde. Permaneço isenta de intenções. De repente, percebo como estou relaxando.

Normalmente um milagre acontece, por si só. E, mesmo assim, vejo a melhoria externa como um reflexo do meu estado interior. Apenas isso conta, é disso que se trata.

Resumo

1. ***Cosmic Power® é um acontecimento instantâneo;***
2. ***Usar a sabedoria do corpo;***
3. ***Ampliação de consciência, um efeito colateral da prática de Cosmic Power®;***
4. ***Respiração e meditação são a chave para nosso inconsciente;***
5. ***O quanto outras pessoas nos apoiam e nos desafiam;***
6. ***Tudo o que gosto de fazer para outras pessoas, faço sempre, em última instância, apenas para mim, pois o que dou para os outros, recebo multiplicado de volta.***

Notas pessoais

XX

Conexão por meio do ritmo e da intensidade

Por meio do ritmo e da intensidade da respiração e por meio da meditação, conseguimos nos conectar com o campo de todas as informações.

20.1 Segue um exercício a respeito

Nos sentamos completamente eretos para que o ápice dos pulmões, o diafragma e a região abdominal também estejam envolvidos nos exercícios de respiração. Nossos olhos devem praticar o olhar suave. Selecionamos um ponto específico sobre um objeto, em um campo mais amplo. Olhamos conscientemente, com olhar muito suave e relaxado, até que o campo tridimensional se abra.

Nossas mãos devem ser posicionadas levemente sobre nossas costelas inferiores. Começamos sorrindo com uma expiração completa. Respirar e sorrir.

Sem antes inspirar, nós expiramos. Expiramos todo o ar, com isso, o corpo vai se abaixando. Com a boca fechada, inspiramos profundamente pelo nariz, até que o ar alcance os ápices pulmonares, o diafragma e a região abdominal. Estamos completamente presentes, da melhor maneira possível, e em total concentração. Assim que os pulmões e o diafragma se encherem com o máximo de ar e as mãos sentirem uma leve pressão, permanecemos centrados e observamos como a barriga também se levanta.

À inspiração segue-se, quase que silenciosamente, uma expiração com a boca ligeiramente aberta. Novamente, com a boca fechada, inspiramos pelo nariz, o mais profundamente possível. O peito se arqueia para fora. O abdômen eleva-se. E expirar novamente. Ao fazer isso, a boca abre-se levemente e o abdômen e a caixa torácica contraem-se. Mais uma vez, com a boca fechada, inspire o mais profundamente possível, enchendo o peito e a região abdominal de ar.

Com a boca e os olhos ligeiramente abertos, deixamos o ar escapar do corpo. Ao inspirar e expirar, prestamos atenção para alcançarmos o mesmo ritmo e intensidade. As respirações acontecem como um movimento circular. À expiração segue-se a inspiração. Totalmente centrados, observamos esse ciclo respiratório. O olhar permanece suave, terno, tridimensional em 180 graus.

Se respiramos com o nível de concentração adequado, ficaremos rapidamente com sono. Logo após o quinto suspiro, já deixaremos nossos olhos cansados fecharem-se. Paramos de controlar nossa respiração. A boca permanece ligeiramente aberta, o corpo está desperto, mas relaxado.

Se surgir algum pensamento, simplesmente dizemos a ele „mais tarde" e voltamos à nossa presença interior. Cada vez que conseguimos retornar, aproximamo-nos da nossa própria realidade e retomamos o controle sobre nós mesmos e sobre nossa mente. A cada vez, podemos classificar esse acontecimento como um sucesso inteiramente pessoal.

Nossos olhos permanecem fechados. A contemplação agora se move em direção a um alinhamento e concentração internos. A cabeça permanece em posição ereta e confortável. Conscientemente, liberamos toda a tensão no rosto, pescoço e corpo.

Nossos olhos permanecem fechados e resistimos a qualquer tentação de abri-los e ver o mundo novamente. Se, de imediato, não formos bem-sucedidos, podemos aumentar nossas respirações e, com isso, nossa concentração, todos os dias. Nunca fique impaciente ou zangado consigo mesmo. Permanecemos nessa posição por, pelo menos, de cinco a dez minutos, até que ocorra um relaxamento interno, totalmente agradável.

O corpo dorme e a mente permanece bem desperta. Permanecemos imóveis, relaxados, vazios e, ao mesmo tempo, preenchidos. Nós escutamos nosso corpo. Agora, direcionamos a energia para nossa testa, entre as sobrancelhas, e movemo-nos para o interior da cabeça, que se abre como um espaço vazio. Permanecemos presentes no nada, por alguns minutos.

Não movemos nosso corpo, exceto a caixa torácica e o a barriga, que incontroláveis, sobem e descem muito suavemente. Ficamos imóveis. Continuamos a respirar nessa posição até sentirmos necessidade de abrir nossos olhos. Antes de abrirmos completamente os olhos, repetimos, por, pelo menos, cinco vezes, nossos movimentos de expiração e inspiração descritos anteriormente. Estamos concentrados de damos toda a nossa atenção a esse movimento.

Encerramos esse processo com um sopro de expiração. Com isso, nossos olhos abrem-se suavemente, em uma visão tridimensional. Nós exalamos o ar, podemos nos mover novamente, e assim todo o ciclo se completa.

É benéfico desenvolver e treinar a disciplina para a respiração regular e para a meditação, pois ela nos permite seguir as novas pistas do nosso subconsciente. O equilíbrio para o bem-estar é assim estabelecido. Antes de iniciar essas meditações, é recomendável fazer uma pergunta que nos seja importante. Por meio dessa respiração consciente, alcançamos uma conexão consciente com o campo de informação e recebemos uma resposta do campo do ponto zero. É benéfico continuar fazendo a mesma pergunta, até receber uma resposta.

20.2 O corpo como canal

Às vezes, durante essas meditações, ocorrem movimentos incontroláveis do corpo, como tosse, puxões ou tremores. Nós os permitimos e voltamos ao estado anterior. Nós nos encontramos na condição de consentimento e não na de oposição. Todos os sintomas que sentimos dentro de nós são mensageiros do subconsciente. Não devemos ter medo deles, porque tudo o que se manifesta somos nós.

Tudo isso está dentro de nós e vem de nós. Essas mensagens deveriam ser aceitas e questionadas. No devido tempo, elas se tornarão mais claras para que apontem novas direções.

Com e através de nosso corpo, podemos criar um canal puro e transparente. Para mantê-lo puro, é necessário um ajuste muito preciso. Isso é feito por meio da respiração, descrita anteriormente, do sorriso e da subsequente meditação. Desse modo, conectamo-nos com o campo abrangente e mergulhamos na eternidade do infinito. Aqui, tudo está armazenado, o que sempre foi e, também, o que será. Por meio desse campo, podemos criar uma conexão com nossa totalidade, com nossa matriz primordial. Tempo e espaço não existem no campo da eternidade. Tampouco a polaridade. Desse campo, podemos tomar o poder da cura e da confiança para nos tornarmos um ser humano de verdade. Sempre que desejarmos, poderemos embarcar nessa jornada para o infinito do Ser. Cada vez mais intensa e mais bonita.

Com disciplina e prática suficientes, logo perceberemos até que ponto o canal dessa energia divina e universal pode ser aberto. Quanto mais frequentemente entrarmos, mais rápido seremos capazes de conseguir e de vivenciar o que é necessário para sermos e, também, permanecermos um canal transparente e puro. Para a proteção de nós mesmos e dos outros.

20.3 A prática da conexão

Praticar e praticar de novo – esse é o caminho para o sucesso. O exercício apresentado, o qual devemos repetir três vezes ao dia, fortalecer-nos-á. A meditação consiste, principalmente, em dar a nós mesmos esses minutos para nos encontrarmos conosco, nos descobrirmos e nos expandirmos. Durante esses períodos, que permitimos e damos a nós mesmos, receberemos também todas as mensagens de que necessitamos em resposta às nossas perguntas. Deveríamos fazer a mesma pergunta diversas vezes, até recebermos uma resposta compreensível. Geralmente, essas informações chegam até nós muito antes da ocorrência de um golpe do destino. Se fôssemos conscientes o suficiente, um ou outro golpe do destino tornar-se-ia desnecessário. Para isso, tudo o que é necessário é tempo, atenção, disciplina, dedicação e uma confiança primordial.

20.4 O interior

Vamos prestar atenção em como lidamos com a maneira apresentada de respirar e meditar. E quanto à postura disciplinada interior? Ficamos, às vezes, e – até mesmo frequentemente – tomados por um movimento maior? O que quero dizer com isso é que somos tomados por algo inimaginável, algo que nos permitiu uma sensação agradável, até então desconhecida. Da mesma forma, podem nos ser mostrados contextos complicados, que nem mesmo entendemos exatamente naquele momento, mas nosso coração pode decifrá-los. A tarefa resume-se à escuta – a compreensão vem depois. O segundo passo é servir. Servir sem uma intenção bem definida. O benefício próprio deveria ficar fora de questão.

Eu vivencio isso como se tivesse um companheiro constante que me guia, que me protege, fica ao meu lado e me ajuda. Esse Alguém, esse Algo, tem uma consciência mais ampla e vem de outro campo, de outra dimensão. Quem tomar consciência disso por meio da experiência, precisará apenas se dirigir de maneira bastante consciente a essa instância em nós e em torno de nós; ao nosso duplo, por assim dizer. Como? Por meio da presença no momento, por meio do questionamento e da meditação.

Ninguém precisa compreender a dimensão dos mundos em um mês ou ano. Basta, todos os dias, dar um pequeno passo nessa direção, dedicando a nós mesmos tempo e espaço para essa meditação de cinco a dez minutos. Três meditações por dia são eficazes, benéficas e mantêm a conexão. Então, um dia, a grande luz surgirá, e nós perceberemos que tudo é possível. Os sonhos existem para serem realizados. Não apenas para os outros, mas também para cada um de nós.

20.4.1 *Feedback* **de participante de um seminário de Cosmic Power®**

Aqui vem minha "iluminação": gente, respirem conscientemente e meditem todos os dias! Essa é a única maneira de conseguirmos avançar mais rapidamente! Recentemente, eu tive uma imagem a respeito disso: há alguns anos, cheguei ao primeiro curso de Cosmic Power® com um corpo energético de um certo tamanho (circunferência). De volta para casa, eu estava com um corpo energético um pouco maior. Entusiasmado e eufórico, respirei e meditei bem-comportado, por algumas semanas. Mas, então, caí na rotina diária e meu fervor diminuiu. Fui para o segundo seminário com um corpo energético que, novamente, só tinha seu tamanho original. Durante o curso, tive novamente experiências extasiantes ("ondas para as células"), meu corpo energético aumentou e ganhou uma nova qualidade. Voltei satisfeito para casa. Lá, mais uma vez, aconteceu a mesma coisa de antes. Para o próximo curso de Cosmic Power®, meu corpo energético tinha novamente – que surpresa – o mesmo tamanho que da primeira vez.

Agora eu entendi! O tempo, o trabalho e, não menos importante, o dinheiro que eu tinha investido tinha desaparecido como água na areia do Saara. Desde então, tenho respirado conscientemente todos os dias, meditado todos os dias e, sempre que possível, tenho praticado a imposição de mãos em mim e nos outros. Não digo isso para provar como sou ótimo, mas porque, em minha experiência, essa é a única maneira de continuar.

Quando cheguei ao seminário seguinte, meu corpo energético tinha o mesmo tamanho e alcance que tinha quando saí do último seminário. E assim foi e continua sendo, sempre crescendo após cada seminário. É bom quando muitos participantes continuam praticando em casa, pois isso ajuda a preservar e consolidar o que receberam. Todo o grupo se beneficia disso, pois, dessa forma, a base sobre a qual construímos está sempre crescendo. Isso é melhor também para a Sophie. Pois, quanto mais os alunos se desenvolvem, mais novos conhecimentos fluem pelo professor.

Resumo

1. ***Como a respiração Cosmic Power® eficiente envolve o corpo inteiro;***
2. ***A técnica de respiração explicada brevemente;***
3. ***Nosso corpo é a ferramenta canalizadora com a qual criamos um canal energético transparente;***
4. ***Como nos conectamos com o grande Todo invisível;***
5. ***O incompreensível como nosso acompanhante invisível e constante;***
6. ***Na meditação, trata-se de dar-nos esses minutos para encontrarmos conosco mesmos, nos descobrirmos e nos expandirmos. Nesses momentos, todas as mensagens a respeito de nossas perguntas são também transmitidas a nós;***
7. ***Três meditações por dia mantêm a conexão com o todo-abrangente. Como?***
8. ***Por meio do ritmo e da intensidade da respiração e pela meditação, torna-se possível para nós a conexão com o campo de toda a informação.***

Notas pessoais

XXI

A chave

A cada vez, a meditação tem o efeito como quando alguém coloca uma chave em uma fechadura ainda desconhecida e uma nova porta se abre. Em seguida, espantados, paramos e esperamos para ver se podemos e se teremos permissão para entrar no espaço. Tendo entrado nele, vemos que esse espaço tem mais portas. Talvez, depois de algum tempo de meditação, uma dessas outras portas se abra. Talvez fiquemos meses no mesmo espaço e acreditemos que nunca mais sairemos dele, mas não é verdade. Eu sempre comparo a meditação a um bambu. Nós o observamos por meses e nada acontece. Então, de repente, durante a noite, ele alcança um metro ou até mais. O mesmo acontece com nossos exercícios respiratórios e as meditações de Cosmic Power®.

Quem quiser progredir com Cosmic Power® deve meditar, pelo menos, três vezes ao dia. Pela manhã, à tarde e à noite. Além disso, exercícios respiratórios podem ser feitos sempre que houver oportunidade durante o dia, especialmente em situações estressantes. Minha experiência é: a prática leva à perfeição. No entanto, você mesmo pode influenciar significativamente seu desenvolvimento e determinar se irá tornar-se um mestre ou se é suficiente para você continuar sendo um aprendiz.

Qualquer pessoa pode se perguntar: se eu fizer todos os dias a mesma coisa, 23 horas por dia, e só investir 15 minutos em mim mesmo, uma vez por dia, quanto tempo levará para provocar mudanças? Quantas horas você acha que o grande pianista chinês Lang Lang pratica no piano todos os dias? Um mínimo de sete horas, diz Lang Lang; ele explica: "Se eu ficar dois dias sem praticar, não poderia dar um concerto no terceiro dia". Um gênio não nasce com toda sua arte. Ele vem ao mundo com um talento, mas, depois, tem de trabalhar duro para aprimorá-lo.

O mesmo passa-se com a meditação. Aquele que ficar sem meditar por mais de três dias, perceberá que é muito mais difícil continuar. Terá de recomeçar para completar seu ciclo de 40 dias. Disciplina é a prioridade máxima para seguir adiante. Uma vez desenvolvida, tudo fica mais fácil depois. Podemos praticar a respiração e o olhar suave a qualquer momento, em qualquer lugar. Podemos nos disciplinar para isso. E nosso corpo nos dará respostas se, em um certo estado de consciência, batermos em outra dimensão e fizermos perguntas. E é importante saber: aqueles que se aproximam da solução de um problema, muitas vezes, têm mais dificuldades para continuar mantendo os exercícios de meditação e respiração. A resistência existe para ser superada e para nos fazer crescer com elas.

21.1 O Tao

Na meditação com os exercícios respiratórios, apresentados anteriormente, há uma grande chance de que os dois hemisférios cerebrais se sincronizem e que essa condição dure por um certo tempo. É um estado cósmico, ao qual conseguimos chegar. No estar vazio, nesse Nada que tudo abrange, tudo está contido. Isso também é expresso pelo conceito chinês do Tao.

Originalmente, Tao significava "caminho", mas em chinês clássico significava "método", "princípio" e "caminho certo". O lendário filósofo chinês Lao Tse, que viveu no século VI a.C., viu no Tao o significado de um princípio fundamental que permeia todo o mundo. Essa é a mais alta realidade, a lei cósmica, o absoluto. Assim Lao Tse explicou: "O Tao que pode ser descrito em palavras não é o verdadeiro Tao". Por isso, medite e torne-se nada, e aí então você será, ao mesmo tempo, TUDO.

21.2 A decisão

É possível encontrar o que é «verdadeiro»? Embora seja necessário, constantemente, tomar decisões, muitas vezes, não me perguntam se eu quero isso ou não. As decisões que cada um de nós é, permanentemente, solicitado a tomar, requerem crescimento.

Elas são um presente do universo, pois, entre todos os seres vivos, somente o ser humano é capaz de tomar uma decisão – ou melhor, é o único a ter permissão para tomar decisões e torná-las conhecidas. Por um lado, é um grande presente poder tomar decisões, mas por outro, também é uma grande tarefa suportar as consequências das decisões. A fim de encontrar o "verdadeiro", certamente, às vezes, acabamos em um beco sem saída.

Desistir seria errado. Deve-se dar a volta e tentar o próximo caminho. Talvez funcione. Se não funcionar, continue a fazê-lo de novo e de novo. Quando todas as possibilidades se esgotam, não há mais decisões erradas. Isso significa: você tentou muito e agora sabe o que funciona e o que não funciona. Isso é o que eu chamo de riqueza interior e sabedoria.

21.2.1 *Feedback* ***de participante de um seminário de Cosmic Power®***

Durante o curso de Cosmic Power®, eu me sentia diferente a cada dia. Quando cheguei em casa, ontem à noite, e comecei a meditar, senti-me anestesiada, desde os pés até os ombros. Hoje, eu já meditei três vezes: uma vez em casa, depois fora de casa, em frente à igreja e, agora, a terceira vez, junto com todos. Durante a meditação em frente à igreja, pareceu-me que o ponto mais alto da cabeça estava, por assim dizer, crescendo além de si mesmo. Era como um tornado! Agora, essa sensação passa verticalmente pelo centro energético através de mim. O mesmo acontece horizontalmente. Além disso, eu vi duas imagens durante a meditação: a primeira era um feixe de luz brilhante, a segunda, um triângulo. Dentro desse triângulo havia um olho. Agora eu tive a terceira experiência durante a meditação aqui. Meu corpo inteiro começou a vibrar quando ouvimos esse timbre elétrico e enérgico. Depois, saí para o intervalo. Só resta alegria em mim. Obrigada.

Resumo

1. *A chave-mestra para a expansão da consciência;*
2. *Resistências são totalmente normais e existem para serem superadas e para crescermos por meio delas;*
3. *O ciclo de 40 dias e sua eficácia.*

Notas pessoais

XXII

Eu como canal

A energia fortalece sua frequência em um canal. Uma vez que mantemos nosso canal puro, limpo e claramente ajustado, a energia flui facilmente e sem obstáculos através de nós. O centramento e a concentração proporcionam as melhores condições para essa conexão. Trata-se de uma concentração total. Se forem necessários apenas cinco minutos de centramento total, de qualquer forma, devemos nos entregar completamente a esse tempo. A concentração, nesse contexto, significa completo centramento, postura contemplativa e o olhar passivo. Eu o chamo de *olhar suave* ou *cansado*. Ele é uma parte essencial da preparação diária para a meditação, assim como o sorriso. No olhar cansado, os olhos ficam apenas ligeiramente abertos. No entanto, percebemos tudo o que se move ou muda dentro de nosso raio de 180 graus. Nós focamos um lugar até que ele se apresente como tridimensional.

Mesmo o constelador de Familienstellen Original Hellinger® deve praticar o olhar suave. Meu falecido marido Bert sempre dizia: "Quando eu conduzo uma constelação familiar, escolho alguém. Eu não olho diretamente para a pessoa, mas sim muito mais longe e mais amplamente" Como ele olhava? De forma tridimensional.

Eu mesma olho com um olhar suave e tridimensional para a pessoa que vai participar e quer apresentar suas perguntas e necessidades. Eu me contenho sutilmente e observo com muito cuidado como essa pessoa se comporta, como ela anda, como ela olha e como ela se movimenta quando se aproxima do palco e de mim.

Como ela caminha? Como ela aparece? Que movimentos adicionais ela faz? Quais são os gestos dela? Eu leio seu corpo e ele já conta toda sua história. Sabemos que a linguagem mais sincera é a linguagem corporal, e que o corpo nunca mente. Quando observo nessa postura, sei, imediatamente, se essa pessoa realmente precisa de alguma coisa. Se ela só quer uma resposta superficial ou se está, agora, realmente pronta para uma solução. Essa pessoa, em pé na minha frente ou sentada ao meu lado, é como um livro aberto para mim. Tudo o que eu leio e sei sobre ela, nela mesma acontece em segundos. Em 90% dos casos, minhas observações correspondem ao que, mais tarde, tornar-se-á aparente entre nós, em uma possível constelação.

22.1 O melhor remédio: O poder do pensamento como instrumento de cura ou adoecimento

Para entrar nesse campo, não precisamos de um símbolo nem de um juramento. Tampouco precisamos pertencer a um determinado grupo ou associação. Podemos decidir por nós mesmos quando nos conectaremos, com gratidão, com todo o universo, com a força vital, que flui e está disponível dentro de nós. Para atingir esse objetivo, não é necessária nenhuma grande técnica. Não temos de nos virar de cabeça para baixo ou seguir grandes lemas condutores. Utilizamos apenas nosso movimento, nossa consciência, um acontecimento positivo e oxigênio. Todos nós sabemos que existe uma manifestação de energia. Nesse sentido, devemos encontrar o equilíbrio dentro de nós mesmos, todos os dias, para estarmos em sintonia com o mundo. Caso contrário, tornamo-nos uma unidade que repele a energia positiva. O estresse é o resultado, sendo a principal causa de incontáveis doenças. A profunda e sincera gratidão salva-nos e liberta-nos. Ela efetivamente dissolve o estresse, se a respiração estiver incluída. Gratidão é a chave que abre todos os cadeados.

Toda manifestação depende de nossas emoções. Por exemplo, raiva, ódio, rejeição, agressão, resistência e aversão criam padrões incoerentes de vibração, que podem ser medidos muito rápida e facilmente, com os equipamentos médicos mais recentes. Por outro lado, sorriso, gentileza, gratidão, respiração consciente, afeto e meditação produzem vibrações positivas e coerentes. Portanto, somos nós mesmos que determinamos a direção para a qual nossa consciência, nossa vida e nossa saúde estão seguindo.

22.2 A gratidão

Uma vez que a gratidão tenha se tornado um componente principal da vida, estamos alinhados a uma frequência vibracional coerente, que é um poderoso motor para a saúde e para o bem-estar. Posso, como indivíduo, conduzir conscientemente minha vida nessa direção? O segredo está nessa resposta. O fundamento para controlar esse equilíbrio energético é a respiração, o sorriso e a gratidão. Como posso conectar meus pensamentos e emoções com esse conhecimento, para entrar nessa experiência? Percebendo acontecimentos na vida que terminaram de forma positiva. Agora, aqui e hoje, em retrospecto, sinto uma profunda gratidão por esses eventos em mim e, intuitivamente, evoco esses eventos para o presente. Ou seja: o presente determina o futuro.

Resumo

1. *Centramento e concentração, presença e sorriso criam as melhores precondições para a conexão com a força espiritual;*
2. *A segunda chave central é a gratidão profunda e sentida com sinceridade. Ela liberta;*
3. *Cosmic Power® como evento instantâneo para reduzir, e até mesmo evitar, o estresse completamente;*
4. *Como posso conectar meus pensamentos e emoções com esse conhecimento? Sentindo acontecimentos que correram bem na minha vida. Agora, sinto, em mim, uma profunda gratidão, a posteriori, por eles;*
5. *Controlar, de maneira consciente e ativa, a força dos pensamentos.*

Notas pessoais

XXIII

A saúde como o ponto central do trabalho energético

O foco do nosso trabalho energético está no nosso crescimento pessoal. Seu reflexo é a saúde mental e física. Nosso corpo é o porta-voz de nossa alma. Portanto, os sintomas corporais sempre revelam uma desarmonia entre mente e alma. A tensão entre o positivo e o negativo aumenta até que um dos lados saia vencedor. Entretanto, todos os dias, de uma maneira diferente, por meio de nosso comportamento e de nossas decisões, podemos contribuir para que um dos lados saia vencedor.

Esse é um fato imutável. Quase tudo, quase diariamente, depende de nós: como reagimos, como e o que decidimos fazer. Somos nós que tomamos essas decisões. Consciente ou inconscientemente, é disso que tudo depende.

Na realidade, o que nos faz surgir como seres humanos neste mundo é o nosso corpo. Por meio dele, experimentamos e vivemos nossos pensamentos e sentimentos. Se olharmos para ele e para nós mesmos dessa maneira, podemos ver todos os fenômenos deste mundo e nosso próprio comportamento refletidos no corpo e em nós. Se, em uma pessoa, algo entrou em desordem, então, um dos polos está fora da sua norma. Se alguém vivencia uma sobrecarga de um lado ou do outro, surge um desequilíbrio, que procura e encontra sua expressão. Como sorte ou desventura.

Existem diferentes tipos de medicina. Todos alegam curar doenças, mas nem todos conseguiram encontrar o caminho para a cura nem as causas reais das doenças. Estou falando aqui das possibilidades, as quais são necessárias para a preservação da saúde. A saúde é um processo do Ser, que vai além de apenas eliminar o sofrimento e os sintomas. Quando tivermos encontrado o acesso ao portão da alma, também seremos obrigados a decidir sobre todo o resto. A decisão, entretanto, nem sempre é fácil, mas é eficaz e conducente. É assim que decidimos, consciente ou inconscientemente, sobre nosso futuro.

23.1 O corpo

Vamos imaginar visualmente como a energia flui e permeia todo o nosso corpo, desde a menor célula até partes inteiras do corpo. Sei que isso já pertence ao reino do inimaginável, pois tudo acontece ao nível dos átomos e das menores partículas. Cada célula tem seu próprio metabolismo e memória. No entanto, no universo do microcosmo, há uma incrível troca de informações que suplanta o melhor computador. A comunicação intercelular ocorre permanentemente nas aproximadamente 53 trilhões de células do corpo. A Terra, por outro lado, tem apenas oito bilhões de habitantes. Nosso corpo, por assim dizer, pode ser comparado a um planeta.

Em comparação com a Terra, nosso corpo tem muitas vezes mais habitantes, e nossa mente reina sobre todos eles, por assim dizer. Nossos pensamentos e os sentimentos subsequentes desencadeiam uma liberação hormonal que, por sua vez, junto com outros fatores, influencia e controla o processo metabólico e o sistema imunológico. Cada célula comporta-se de forma semelhante a um ser humano na Terra. Assim como um ser humano, as células podem desertar e seguir seus próprios caminhos. Essas desertoras são chamadas de células cancerígenas. Elas querem assumir o controle e não se submetem. Em muitos casos, elas se reproduzem mais rápido do que uma célula saudável. Além disso, elas são lindas. Elas querem conquistar seu hospedeiro, o corpo, e espalhar-se cada vez mais rápido. No final, o hospedeiro morre e o que elas queriam alcançar se perde, tal como elas próprias. Elas provocaram o seu próprio fim.

23.2 O espelho

É importante que aprendamos a observar tudo sem preconceitos. Dessa forma, podemos ousar dizer que somos apenas observadores e que, na vida, há tantas coisas das quais nos orgulhamos e com as quais nos sentimos felizes. Muito rapidamente, começamos a perceber que também existe algo nos outros da nossa própria vida e das nossas histórias, e que sempre nos refletimos no outro. A outra pessoa é como um espelho, no qual nos olhamos a fim de reconhecer os julgamentos que fazemos. Nós sempre estamos descrevendo apenas a nós mesmos.

Para nos conhecermos bem e o mais rápido possível, precisamos de uma observação exata e rigorosa de nós mesmos e dos outros, ou do nosso ambiente – a ressonância sempre entra em ação, e isso nos chama a agir. Às vezes, encontramos pessoas que parecem ser capazes de equilibrar todas as emoções nelas. Isso é mesmo possível? Sim, porque cada pessoa carrega tudo dentro de si mesma. O que determina isso é nossa consciência, o sorriso, as lágrimas, a tristeza e a alegria.

Nós também conhecemos tudo isso. Obviamente, isso se aplica a cada um de nós – especialmente se proporcionarmos a nós mesmos a oportunidade de olhar para nossos próprios conflitos e medos e enfrentá-los. Tudo o que vemos nos outros só pode ser visto porque também está presente em nós – mas, na maioria das vezes, inconscientemente, porque dormimos a maior parte do tempo, mesmo quando estamos acordados.

Como escreveu Johann Wolfgang von Goethe (1749-1832):

"Se o olho nada tivesse do sol,
vê-lo jamais poderia.
Sem algo da força de Deus,
o Divino nos deleitaria?"

(Xênias mansas III)

Resumo

1. *Um espírito saudável e um corpo saudável levam a um crescimento espiritual abrangente;.*
2. *O corpo, um perfeito recipiente dos sentimentos, da alegria e do sofrimento, por assim dizer;.*
3. *Saúde é um processo. Crescimento espiritual, também;.*
4. *A resposta mais eficaz para cada indivíduo é o nosso ambiente circundante.*

Notas pessoais

XXIV

A interação entre Cosmic Power® e Familienstellen Original Hellinger®

24.1 O campo comum

Cosmic Power® e Familienstellen Original Hellinger® formam uma unidade inseparável. Demonstro isso com o exemplo da **constelação** a seguir, que trata de um sintoma físico.

Sophie Hellinger para a participante: Qual sintoma físico você tem?

Participante: Eu tenho problemas de pele.

Sophie Hellinger: Venha aqui. Cada sintoma na pele revela um problema maior do que pensamos. Onde está o seu sintoma?

A participante mostra.

Sophie Hellinger: Interessante, aqui no peito e nos ombros. Desde quando você tem isso?

Participante: Há dez anos.

Sophie Hellinger: O que aconteceu há cerca de dez a doze anos?

Participante: Eu não consigo pensar em nada agora. Neste momento, eu não consigo mais pensar claramente.

Sophie Hellinger: Se você concordar, perguntaremos ao seu corpo por meio de um teste cinesiológico. Você concorda? Antes de mais nada, testaremos se você está conectada e pode ser testada. Quando eu disser "segure", você mantém seu braço levantado na altura dos ombros. Não levante o braço acima da altura dos ombros! Agora! Segure!

Sophie Hellinger, depois de empurrar, sem dificuldades, o braço para baixo: Ela está sob estresse. Por alguma razão, ela não está receptiva. Normalmente, essa separação é por motivos de proteção.

Sophie Hellinger realiza alguns movimentos na cabeça da participante. Ela estica seu braço novamente. Sophie Hellinger testa novamente. Dessa vez, Sophie Hellinger, apesar de seus esforços, não consegue empurrar o braço para baixo.

Sophie Hellinger: Isso significa: agora ela pode ser testada. Eu a reconectei ao sistema e ao campo da informação. Esse foi o primeiro passo. Agora, coloque sua mão sobre a pele no esterno, onde você sente desconforto na pele. *A participante coloca uma mão sobre o esterno e estica o outro braço.*

Sophie Hellinger: Segure!

O braço pôde suavemente ser pressionado para baixo.

Sophie Hellinger: Há, claramente, um bloqueio nessa parte do corpo. Os sintomas de pele afetam todo o corpo. Na maioria dos casos, todo o campo familiar também acaba afetado e envolvido. Você tem marido e filhos?

Participante: Eu estou casada há dois meses.

Sophie Hellinger: Vocês já têm filhos? *A participante diz que não.*

Sophie Hellinger: Você gostaria de ter filhos? *Ela confirma.*

Sophie Hellinger: Quem sabe quem te enviou até aqui? É algo que me pergunto muitas vezes.

Sophie pede à participante para novamente colocar sua mão sobre o esterno, sobre o problema da pele. A participante estica seu braço.

Sophie: Essa pessoa envolvida com o problema ainda está viva?

O braço permanece firme.

Sophie Hellinger: Ela ainda vive? *O braço permanece firme.*

Sophie Hellinger: Isso significa "sim". Seria a mãe? *O braço se abaixa.*

Sophie Hellinger: Não, não é a mãe. O corpo sabe tudo. Ele sabe qual conflito, em algum momento, você teve e com quem. Devo continuar perguntando?

Participante: Sim, por favor. *A participante estende o braço.*

Sophie Hellinger: Ainda há uma ou mais pessoas que querem se manifestar por meio desse sintoma? *O braço permanece firme.*

Sophie Hellinger: Isso quer dizer "sim". O pai?

O braço desce quase imperceptivelmente. A participante começa a chorar. Sophie Hellinger: Onde está seu pai?

Participante: Em Israel.

Sophie Hellinger: E sua mãe?

Participante: Também.

Sophie Hellinger: E você discorda do modo como eles conduzem o casamento? *A participante estica o braço. O braço não se deixa ser pressionado para baixo. Ela é sacudida pelo choro.*

Sophie Hellinger: Os filhos são assim. Isso se dá pela discordância com a maneira como os pais conduzem seu casamento. Os filhos querem o melhor para seus pais. *Para a participante:* O problema tem a ver com o passado dos judeus? *O braço permanece firme.*

Sophie Hellinger: Sim, o problema está no campo dos judeus. Há pessoas que morreram na guerra que tiveram algo a ver com o que aconteceu? *O braço permanece firme.*

Sophie Hellinger: Sim. Essas pessoas estão presentes nos seus pais? *O braço vai para baixo.*

Sophie Hellinger: Não. Eles estão presentes em você?

Sophie pressiona com toda sua força. O braço não se move, ele permanece totalmente firme.

Sophie Hellinger: Sim. Eles estão presentes em você, não nos seus pais. Então, agora, coloque sua mão no lugar de seu problema de pele e diga: "Eu não te conheço, mas eu te amo". No seu idioma. E mantenha o braço esticado. *Sophie testa novamente. O braço permanece firme.*

Sophie Hellinger: Essa é a verdade, e dali também vem a força. Em nosso corpo, em nossas células corporais, carregamos todas as informações do campo, e cada sintoma é um mensageiro desse campo.

Sophie Hellinger para o grupo: O que isso tem a ver com Cosmic Power®? Na realidade, já estamos em uma constelação familiar. Cosmic Power® abre todo o campo e, rapidamente, chegamos ao problema principal. No campo da energia de Cosmic Power®, a vida que vivemos até agora e aquelas que viveremos no futuro já estão presentes no aqui e agora. Por meio de Cosmic Power®, também fazemos contato com todas as centenas de seres que me contataram antes do curso e, também, mostraram-se visualmente e ainda se mostram.

Como isso é possível? Por meio da respiração consciente das centenas de pessoas aqui presentes. É um campo forte e um estímulo forte. Pois, nada do que já foi pode desaparecer. Está presente para sempre, para se reconciliar, para incluir o passado, em vez de combatê-lo. Uma vez que nos preocupamos com uma pessoa, estamos, ao mesmo tempo, rejeitando outras, porque acusamos e culpamos essas outras pessoas ou aquela pessoa em questão. *Sophie Hellinger aponta para a participante.* Com ela, vemos agora que seu sistema corporal não estava conectado a um campo de cura. O primeiro teste mostra isso. Ela não tinha força alguma.

Sophie Hellinger para a participante: Diga no seu idioma: "Sou uma judia e permanecerei conectada a todos os judeus para sempre".

A participante repete em seu idioma. Ela estica o braço.

Sophie Hellinger: Segure! *Sophie tenta pressionar o braço para baixo. Ele está firme. A participante respira fundo e liberta-se.*

Sophie Hellinger para o grupo: Vemos a resposta por meio da respiração. Damos um suspiro de alívio quando algo deu certo. Essa respiração liberta-nos. O corpo tem a necessidade de se soltar. A energia tem permissão para fluir novamente no corpo. Isso nos permite um suspiro de alívio. Como dizem por aí: "Eu respiro aliviada, porque um peso foi retirado de cima de mim".

A participante fica comovida e, com a cabeça, acena concordando com tudo o que Sophie Hellinger diz.

Sophie Hellinger: Qual é a sensação de respirar aliviada agora?

Participante: Eu me sinto bem melhor e mais leve.

Sophie Hellinger: Muitas vezes, nem nos damos conta do fardo que carregamos na vida. Só nos damos conta disso quando ele se foi. Antes disso, estamos acostumados a ele. *A participante deixa o palco agradecida e profundamente emocionada.*

Nesse contexto, apresento uma **meditação.**

24.2 O comando interior

Agora vou meditar. Essa é uma manifestação de vontade em relação a si mesmo. "Estou aqui e pronta para me conectar com essa força abrangente com toda a minha consciência, com toda a clareza".

Sorria, desfocalize o olhar. O olhar desfocalizado sincroniza os dois hemisférios cerebrais e abre o canal para o infinito. Os olhos permanecem ligeiramente abertos e não se fecham até que, pelo menos, 5 expirações e inspirações conscientes sejam concluídas. Os olhos permanecem sem foco. Não há mais um piscar de olhos. Isso permite que os músculos dos olhos e as pálpebras relaxem. Não podemos mais ver nada nem ninguém claramente e, ainda assim, vemos tudo. Os olhos ainda permanecem ligeiramente abertos. Até que o olhar fique cansado, bem cansado.

Sempre começamos com a expiração. As respirações são prolongadas ao máximo, de forma controlada. Certifique-se de que as inspirações e as expirações, tenham aproximadamente, a mesma duração.

Começamos com a expiração. Depois disso, com a boca fechada, inspiramos profundamente pelo nariz. Com a pressão, forçamos nossas costelas inferiores para fora. Os pulmões devem ser supridos com oxigênio até o máximo, até que atinjam seu ápice. Para apoiar, colocamos nossas mãos à esquerda e à direita sobre nossos arcos costais e verificamos se a caixa torácica realmente fica maior e se expande quando inspiramos. Paramos brevemente e, deliberadamente, deixamos escapar pela boca, agora ligeiramente aberta, todo o ar absorvido. Deve ser um sopro calmo, mas poderoso.

É assim que nos retiramos do mundo material. Observando o ritmo da respiração, até que ocorra o relaxamento, e a mente fique livre de pensamentos. Sorria o tempo todo.

Uma vez que tivemos essa experiência, deixamos todo o ar sair pela boca aberta. Com a boca fechada, inspire profundamente pelo nariz e expire novamente. Fazemos tudo isso sorrindo, porque confirmamos interiormente: "Eu me amo". O que mais significa o sorriso? Nós dizemos: "Eu concordo comigo mesma e concordo com a vida como ela me foi dada e como ela é. Eu me aceito como um todo, como sou. Eu me amo. Eu me sinto feliz".

Percebendo... Ouvindo a si mesmo... Sentindo a si mesmo... Se algo nos distrair, nós dizemos: "Sim!". No entanto, outros pensamentos surgem; então, realinhamo-nos novamente à força única e todo-abrangente – sem querer nos pressionar com nossos pensamentos ou reprimir nada. Na imaginação, a cada respiração, reconectamo-nos a este plano.

Não se force a meditar, mas sim a respirar e a continuar, conscientemente, prestando atenção à sua respiração. A meditação deve ser bem-sucedida por si só, em harmonia com as respirações. Por meio de respirações conscientes, nosso cérebro interconecta-se melhor e o nível de estresse é reduzido. Nossas frequências começam a baixar de beta para delta. Somente quando não percebermos mais nada ao nosso redor, então, fechamos os olhos.

Agora a respiração é superficial, sem controle. Nessa frequência, o corpo dorme, mas o interior permanece bem desperto. Continuamos a sentir o sopro da respiração no nariz ou na área do peito, levantando e baixando ligeiramente o peito e o abdômen. Permanecemos nesse estado por, pelo menos, 5 minutos, mas até um máximo de 30 minutos.

Se sentirmos algo no corpo, por exemplo, uma dor, percebemo-la e simplesmente dizemos: "Obrigada pela informação". E permanecemos com nossa percepção nessa parte do corpo até que a dor mude. Se uma nova dor aparecer em outra parte do corpo, nós nos deixamos guiar para lá e ficamos ali, até que um alívio ou uma nova imagem apareça. Antes de voltarmos à consciência cotidiana, antes de abrirmos os olhos e antes de fazermos o menor movimento, começamos a respirar como no início.

Começamos novamente com a expiração. Abra, ligeiramente, os olhos para um olhar desfocado. A vista permanece desfocada. Nessa postura, conduzimos, pelo menos, seis respirações profundas, antes de fazer o menor movimento possível.

Resumo

1. *A unidade de Cosmic Power® e Familienstellen Original Hellinger®;*
2. *O corpo sabe de tudo. Ele pode me dar informações sobre tudo do passado e do presente e, da mesma forma, sobre o potencial do futuro;*
3. *A respiração correta prévia decide sobre a qualidade da comunicação.*

Notas pessoais

XXV

O poder, a biologia da fé e o significado da constelação familiar

25.1 Nossas células corporais

O biólogo de desenvolvimento e pesquisador de células-tronco estadunidense Bruce H. Lipton, sustenta a biologia da fé. O que isso significa?

Lipton começou a cultivar células-tronco na década de 1970. Uma célula-tronco é, originalmente, uma célula embrionária. Essa é apenas uma distinção conceitual. Após o nascimento da criança, não se fala mais de células embrionárias, mas de células-tronco. Continuam, portanto, sendo as mesmas células.

O corpo humano é composto de cerca de 53 trilhões de células. Em termos concretos, isso significa que somos uma entidade viva, constituída por uma comunidade de 53 trilhões de células. Cada célula está equipada com sua própria inteligência, metabolismo e sistema imunológico. Contudo, nenhuma única célula permanece conosco, em nosso corpo, nossa vida toda. A cada dia, perdemos centenas de bilhões de células, a cada três dias são substituídas trilhões de células. Esses são processos completamente normais. É dessa forma que a pele é limpa, que o cabelo é substituído – embora não tão rapidamente quanto gostaríamos – e, assim, a cada três dias, nosso trato digestivo perde quase cem por cento de seu revestimento. Mas não se preocupe: as células-tronco, aparentemente sem nenhum esforço, substituem as centenas de bilhões de células que morrem todos os dias.

25.2 O cultivo de células-tronco

Como Lipton chegou à conclusão de que nossa vida não é controlada por genes? Ele cultivava células-tronco em seu laboratório. Para fazer isso, ele primeiro clonou uma célula-tronco e a colocou em uma placa de Petri com uma solução nutriente. Essa solução – como versão laboratorial do sangue – é um líquido no qual a célula vive como que em um aquário. Entre cada dez e doze horas, a célula dividia-se e, então, duplicava-se. Esse processo continuou incessantemente. Assim, após uma semana, uma célula havia se transformado em cerca de 30.000 células. Como a célula clonada deriva de uma única célula parental, as 30.000 células eram geneticamente idênticas.

25.3 Somos vítimas da hereditariedade? O que a constelação familiar mostra?

Trabalhando com células-tronco, Bruce Lipton percebeu que uma afirmação científica, amplamente aceita, de que os genes controlam nossa vida, não era mais sustentável. Durante décadas, ensinaram-nos que seríamos vítimas de nossa hereditariedade. Afinal, não escolhemos os genes que, supostamente, determinam-nos, mas o que quer que tenha vindo de nossos pais, programou nossa vida de uma forma quase ditatorial, sem nosso consentimento. De acordo com essa visão, os genes do câncer causavam câncer, outros genes causavam ataques cardíacos ou todos os tipos de outras doenças. Estávamos impotentes, à mercê desses genes – é o que nos foi transmitido.

Atualmente, muitas pessoas ainda estão convencidas de que os genes causam certas doenças e de que nós somos vítimas. No entanto, a ciência atual prova que apenas entre 5% e 10% de todas as doenças ocorrem devido à hereditariedade. O resto está sujeito a outras influências, como o meio ambiente e a maneira como reagimos a ele. Portanto, a questão relativa à doença – se somos a vítima ou o perpetrador – não permanece mais em aberto. Mude seu ambiente, suas imagens interiores, seus hábitos, e isso já conduzirá a uma vida completamente nova.

25.4 O experimento

Em mais um passo, Lipton realizou a seguinte experiência: ele colocou células geneticamente idênticas em três placas de Petri, cada uma com um meio de cultura diferente, ligeiramente modificado. Em todos os três recipientes, as células foram supridas com uma química diferente. O resultado foi surpreendente: no recipiente A, as células formaram músculos, no recipiente B, ossos e no recipiente C, células de gordura. Aqui levanta-se um importante questionamento: o que determinou o destino das células? Os genes não poderiam ter feito isso, pois eram idênticos em todas as células. Foi a composição do meio de cultura que fez a diferença. Isso significa: as células não são controladas por genes, mas reagem ao seu ambiente.

25.5 A importância do ambiente

O que é esse ambiente das células-tronco? É o sangue. O que isso significa para o corpo humano? Debaixo de nossa pele, temos 53 trilhões de células, e elas têm um terreno fértil. Seu meio de cultura original é o sangue. Portanto, nossas células-tronco estão, basicamente, em um recipiente revestido de pele. A experiência tinha mostrado que o material da placa Petri não tinha influência no desenvolvimento das células-tronco, apenas a composição química do meio de cultura. Aplicado aos seres humanos, isso significa que a química do sangue controla o destino das células.

De onde vem essa química? Nossas emoções são como uma substância química que determina qual química será liberada. Isso, por sua vez, depende de como e do que nós nos alimentamos e, também, de quais imagens temos em nossa cabeça. O cérebro, então, traduz essa imagem em palavras, ações e em uma química complementar. Uma imagem de amor produz, consequentemente, substâncias químicas harmônicas: dopamina, em resposta ao prazer; vasopressina para concessão de atratividade, a fim de que o parceiro seja atraído; a oxitocina, o chamado hormônio da lealdade, proporciona a conexão com a fonte do amor. Esse último é o principal hormônio de crescimento quando se está apaixonado. Ele nos dá vitalidade e nos rejuvenesce, é o conhecido brilho dos apaixonados.

Todas essas substâncias químicas são encontradas no sangue, no meio de cultura que abastece as células. Por meio delas, é criado o brilho dos apaixonados, que todos podem reconhecer neles. Em contrapartida, se uma pessoa tem medo, uma química completamente diferente é produzida e secretada. Os hormônios de estresse são liberados e influenciam o sistema imunológico. Dessa forma, o sangue controla as células cujo destino é determinado pelo sentimento. Independentemente da imagem que tenhamos em nossa cabeça, o corpo a toma e a traduz em química. Então, o cérebro transforma a imagem que vem à mente em hormônios. E esses hormônios dão ao corpo uma espécie de presente.

A boa notícia dessa descoberta é que nosso destino não apenas é determinado em pequena porcentagem por nossos genes, mas que nós somos o mestre e o criador de nosso destino. Uma vez que isso é determinado por nossa consciência, ou seja, pela percepção da nossa mente. Por meio da respiração de Cosmic Power® e da conhecida meditação, podemos mudar nossa atitude e, com isso, mudar a química no corpo. E se a nossa química muda, nossa genética também muda. E, com isso, também mudamos nosso comportamento e nosso destino. A constelação familiar apoia esse procedimento com imagens.

25.6 Ambiente em vez de hereditariedade

Em uma família, avó, avô, mãe e pai tiveram o mesmo tipo de câncer e morreram por causa disso. A filha tinha medo de, por fim, acabar desenvolvendo o mesmo câncer também e, por essa razão, não queria ter filhos. Assim, ela adotou duas meninas de países diferentes. Ela acreditava que isso eliminaria o fator da hereditariedade. Mas o que aconteceu? As duas filhas adotivas desenvolveram exatamente o mesmo tipo de câncer. Como isso foi possível? Não havia parentesco de sangue! Hoje, os cientistas sabem a resposta: o ambiente é o fator decisivo, não a hereditariedade. Novas pesquisas mostraram que menos de 10% de todas as doenças são causadas geneticamente. Mais de 90% delas são devido à própria visão de mundo. Para ficar saudável, normalmente, não são necessárias substâncias químicas em forma de pílulas ou injetáveis. É preciso apenas mudar a própria visão de mundo e as reações a ela e, com isso, nossa biologia também muda. Quais as condições necessárias para isso? São necessárias fé e atitude pessoal. É por isso que devemos escolher nossos relacionamentos e amigos com cuidado, conscientes e com muita sabedoria. Precisamente o nosso ambiente que, por sua vez, influencia nossa vida.

25.7 O novo

Exercício: Enquanto sorrimos, fechamos nossas mãos. É necessário expirar de tal forma que a parte superior do corpo e o diafragma se desloquem para dentro, de modo que esse movimento possa ser sentido e visto. Agora, separamos as mãos e seguramo-las na altura dos olhos, em forma côncava, como um pequeno recipiente oco. O que nós sentimos?

Sorrimos o tempo todo. Esse gesto dá a todo o movimento o poder de uma saudação, para reconhecer a energia que nos rodeia e dizer: "Eu vejo e ouço você". O sorriso significa: sorrimos para a outra pessoa e, ao mesmo tempo, para nós mesmos, e estamos prontos para o novo. Essa prontidão ajuda-nos a permanecer em sintonia, permanecer no respeito pelo desconhecido e, também, a manter nossos pés no chão.

25.8 O poder da fé

O melhor exemplo do poder da fé é o efeito placebo. Alguém está doente e o médico lhe diz: "Tenho um medicamento novo em folha, particularmente eficaz. Ele vai ajudar". O paciente toma o medicamento, e ele ajuda. Contudo, mais tarde, descobre-se que se tratava apenas de um comprimido de açúcar, um placebo. Então, o açúcar curou alguma doença? Não, de maneira nenhuma. Foi a confiança no médico e a crença na pílula de açúcar, disfarçada como um medicamento real. Era uma visão, uma expectativa, uma imagem que a mente tinha criado. O que isso significa em termos concretos? Uma crença positiva cria uma química positiva e, assim, torna possível uma vida positiva. Como Jesus disse há 2000 anos, "Tua fé te salvou". Embora a maioria das pessoas seja informada sobre o efeito placebo, elas não conhecem o efeito da fé: ela controla e dirige a química no corpo.

No entanto, uma crença negativa é igualmente poderosa, porque cria um programa dentro de nós. Ela também determina a própria biologia – mas na direção oposta. Assim como uma crença positiva pode conduzir à saúde, uma crença negativa é capaz de causar todos os tipos de doenças – desde câncer a doenças cardíacas, Alzheimer, diabetes e, até mesmo, a morte. Os resultados de um programa negativo são chamados de Nocebo. Quantas pessoas são livres de expectativas negativas?

A conclusão dessas descobertas é: a fé controla minha biologia. Pensamentos positivos levam a um placebo, e eu posso me curar. Os pensamentos negativos controlam-nos com a mesma força, eles também causam muitas doenças. Como já mencionado, mais de 90% de todas as doenças não têm nada a ver com os genes. Tudo depende de nosso ambiente, de nossa fé, de nosso meio circundante e das nossas reações a ele. Tudo é nossa resposta muito pessoal a esse ambiente. Se respondermos, com gratidão, com respiração consciente e meditação, podemos reescrever e reprogramar, de maneira bem consciente, nossos genes e nosso destino – ou seja, nosso futuro. Como? Experimentar é o caminho mais fácil para a felicidade. Isso importa? Sim, e muito! Porque nos torna criadores, pois moldamos esta vida com base nas imagens interiores que produzimos e mantemos na nossa mente. Essas imagens são, então, traduzidas na química que se torna a expressão de nossa realidade. Aquele que quer mudar sua vida, precisa mudar de ideia.

Querer mudar seus genes com a ajuda da farmácia é o caminho errado. Isso impede, até mesmo, que você interrompa o pensamento problemático, pois tudo começa na barriga, no sentimento e na cabeça. Se entendermos isso, em última instância, significa: podemos eliminar a maioria das doenças neste mundo apenas alterando nossa programação. Isto é: nossos hábitos, a comida, os movimentos, o sentir, o pensar e o agir. Eu posso controlar e mudar meu estilo de vida, porque é dele que vem o poder criativo. Nós nascemos como criadores, não como vítimas. Os praticantes de Cosmic Power® em todo o mundo já tiveram essas experiências. Você quer experimentar também?

25.8.1 *Feedback de participante de um seminário de Cosmic Power®*

Em 10 de dezembro de 2014, nasceu minha filha Sophia. Quando ela tinha dois anos e meio de idade, o autismo foi diagnosticado nela. Ela estava constantemente se balançando, gritava a cada vez que tentava vesti-la e não queria sair de casa. Sua condição piorou ainda mais: ela batia a cabeça contra móveis e paredes. Era horrível.

A partir de maio de 2017, participei de vários seminários de Cosmic Power®. Após cada curso, havia uma mudança em minha filha: ela se tornou mais calma e feliz. Mas a maior mudança foi no ano passado. Agora, posso ir às compras com ela e, também, levá-la ao parquinho. Ela me acompanha comportadamente. Sim, ela fica até feliz quando recebemos visitas. Ela costumava reagir a todos com gritos, até mesmo à minha mãe.

Sophia até se adaptou bem em um jardim da infância, e não se destaca por causa de qualquer comportamento incomum. Muita coisa mudou em mim também, eu percebi que eu via meu marido como substituto de um pai. Isso tinha provocado uma grande tensão em nosso casamento. Com a nova visão da minha vida, a condição de Sophia claramente também mudou. Ela estava no meu campo e tinha assumido meus problemas. Graças a Cosmic Power®, esses emaranhamentos foram dissolvidos. Obrigada, Sophie!

Resumo

1. *Fazer uso da sabedoria infinita de nossas células corporais;*
2. *A ciência pode provar que apenas 5% a 10% de todas as enfermidades devem-se a uma hereditariedade. Para o restante, aplicam-se outras influências, por exemplo, o ambiente e como nós reagimos a ele;*
3. *Como nossos sentimentos produzem e secretam substâncias químicas em nosso corpo;*
4. *Podemos remodelar efetivamente nosso destino, pois somos determinados, apenas em uma pequena porcentagem, por nossos genes. Nós mesmos somos muito mais mestres e criadores de nosso destino. Reconhecer isso exige abertura;*
5. *O melhor exemplo é o efeito placebo. Aqui, atuam não apenas a fé, mas também a expectativa e as imagens que a mente cria a respeito.*

Notas pessoais

XXVI

A importância das mitocôndrias

Nosso corpo é constituído por aproximadamente 53 trilhões de células que abrigam habitantes surpreendentes. Eles compartilham o mesmo habitat e, também, os nutrientes das células. Eles têm também sua própria consciência, seu próprio metabolismo e seu próprio DNA, o chamado ácido desoxirribonucleico. São organelas chamadas mitocôndrias. São nelas que ocorrem as reações químicas da cadeia respiratória. Sem mitocôndrias, estaríamos mortos. Nós sabemos disso? Precisamos saber disso?

Uma mitocôndria é envolvida por uma membrana dupla e contém seu próprio material genético, o DNA mitocondrial, que só é transmitido pela mãe. Por meio da cadeia respiratória, as mitocôndrias regeneram a molécula rica em energia, adenosina trifosfato. Elas também realizam outras tarefas importantes para a célula, por exemplo, estão envolvidas na formação de aglomerados de ferro-enxofre e constituem um armazenamento intracelular para o cálcio. As mitocôndrias têm um processo de divisão similar ao das bactérias. Ocorre uma divisão cruzada, na qual o DNA mitocondrial é distribuído igualmente entre as mitocôndrias filhas. O processo de formação de novas mitocôndrias é chamado de biogênese mitocondrial.

Se imaginarmos que existem entre 1000 e 2000 mitocôndrias em cada célula – com muitas células de apenas 0,01 milímetros de tamanho – então, isso significa que existem milhões e milhões de mitocôndrias em nosso corpo. Elas contribuem para nossa vida, processam a energia que vem de fora e a convertem em combustível para nós. Entretanto, a extensão total da atividade mitocondrial permanece um mistério, até os dias de hoje.

Alguns cientistas assumem que as mitocôndrias eram, originalmente, bactérias que se reuniam em comunidades para viver e trabalhar juntas. Outros acreditam que elas receberam ajuda do universo para se tornarem particularmente resistentes e sobreviverem. A compreensão de que a energia é administrada nelas e de que essa energia não pode ser destruída foi esclarecedora.

Também é certo que as mitocôndrias são destruídas pela ingestão de antibióticos. Isso cria um campo fértil para doenças crônicas. Por essa razão, quando se toma antibióticos, é recomendada a administração de vitamina C, coenzimas, ácidos graxos ômega-3 ou óleo de peixe (vitamina B). Dessa forma, nossas células podem, ao menos, ser poupadas e um pouco protegidas.

Se algo falhar em nosso sistema, elas enviam mensagens sob a forma de sintomas. Sempre que inspiramos e expiramos, entramos em contato com inúmeras bactérias, mas por que as bactérias prejudicam algumas pessoas, mas não outras? Elas têm ressonância diferente com essas pessoas, elas trocam algumas ou muitas informações com elas? Em caso afirmativo, quais? A primeira mensagem de um sintoma é: "Concentre-se!". Em seguida, recebemos a mensagem e lemo-la. Então, podemos considerar: o que eu posso fazer? E o que preciso mudar?

Nesse contexto, pensemos no trabalho constante das mitocôndrias em nosso corpo. O que devemos a elas? Apresento aqui uma **meditação** a respeito:

Fechamos nossos olhos e imaginamos essas mitocôndrias trabalhadoras e invisíveis em nossas células. Novamente, o invisível é o mais forte. Há cerca de 200.000 trilhões de mitocôndrias em nosso corpo. Eles produzem tanta energia potente, chamada Adenosina trifosfato (ATP), que chega a ser equivalente ao nosso peso corporal. Se trabalhamos intensamente ou praticamos esportes, uma grande quantidade de energia é produzida no organismo. Nem sequer conhecemos as mitocôndrias responsáveis por isso, elas nunca foram apresentadas a nós, mas agora podemos, pelo menos, dar atenção a elas, com gratidão. Sorrimos para elas e expiramos conscientemente. Devemos nos lembrar de que somos sempre, ao mesmo tempo, transmissores e receptores.

As mitocôndrias são nossas amigas. Deveríamos sorrir para elas. Elas trabalham ininterruptamente para que possamos viver, estar aqui e sorrir. Aqui, hoje e agora podemos agradecer a elas. Agora!

Quanta gratidão devemos a elas? Podemos entender tudo isso agora. Sabemos que Cosmic Power® funciona por meio de nosso subconsciente, por meio de nossa respiração e em conexão com o vazio.

Esse vazio, que é, ao mesmo tempo, o todo. Como um todo, ele carrega uma ordem em si e, também, estabelece-a em nós e agora se estende através de nós e para além do nosso corpo. Nós nos sintonizamos com esse canal divino. Toda diferença é suspensa aqui.

Somos parte dessa totalidade e cada ser humano é parte de um todo. É hora de tomarmos plena consciência disso, cada vez mais.

Em nosso corpo, há vários órgãos duplos. Eles se correspondem entre si. Temos dois olhos, dois ouvidos, dois braços, duas pernas, dois pulmões, dois rins, dois ombros, duas mãos, dois ovários. Eles se comportam como gêmeos. Diante de uma dor – por exemplo, em um ouvido – dirijo-me sempre a ambos, ao mesmo tempo. Nunca faço a imposição da minha mão em apenas um ouvido, mas sempre em ambos.

O mesmo vale para os olhos. Devemos reuni-los, para que possam se comunicar um com o outro novamente.

Agora, esfregamos nossas mãos uma na outra. Depois, colocamo-las em ambas as orelhas e sentimos nossa cabeça entre nossas mãos. Nessa posição, sentimos a energia fluindo de uma palma para a outra. Ficamos centrados, sorrindo em direção ao centro da cabeça e, em nossa imaginação, criamos uma conexão de uma orelha a outra.

Agora, prestamos atenção se outro sinal – por exemplo, um som ou um sentimento – junta-se. Escutamos, muito conscientemente, para perceber se há mais algum sinal em outra parte do corpo.

Então, colocamos nossas mãos sobre o lado esquerdo do peito, sobre nosso coração. Sentimos o batimento cardíaco. Quais sentimentos experimentamos? Há quanto tempo ele está batendo, sem pausa, por nós? Sorrimos para nosso coração. Nós nos concentramos e focamos.

Sorria e respire conscientemente! E, com gratidão, sorrimos para o nosso coração. Agora, colocamos ambas as mãos sobre nossos pulmões e respiramos conscientemente, com um sorriso direcionado às nossas mitocôndrias, e agradecemos a elas pelo esforço.

Agora, completamente centrados, repetimos a respiração consciente várias vezes. Expire e inspire, pelo menos, cinco vezes.

Não controlamos mais a respiração e deixamo-la fluir normalmente. Os olhos estão fechados.

Respiramos, sorrimos e escutamos o ritmo interno.

Você diz: "Eu estou aqui. Eu te recebo. Eu te sinto. Eu te reconheço. Estou pronta e grata por tudo o que pude vivenciar até agora".

Abaixamos as mãos confortavelmente, expiramos, sorrimos e repetimos nossas sequências de expiração e inspiração, pelo menos, cinco vezes.

Respire conscientemente mais uma vez.

Nossos olhos descansam. Despedimo-nos de tudo o que nos vem à mente, soltamo-lo e criamos um sorriso interior.

Mais uma vez, sorrimos para tudo o que nos vem à mente. De mãos postas, em prece, diante de nosso peito, enviamos um agradecimento ao universo.

Se olharmos para o Cosmos, não somos mais do que a ponta de um pequeno alfinete, e, ainda assim, ele é parte do todo. Tanto no menor como no maior – tudo faz parte do todo. A palavra diz: somente "todo-um[2]" eu posso ser completamente um.

Tudo o que temos de fazer é confiar no Todo. Não devemos forçar nem julgar. Tudo vem no tempo certo. E se é muito cedo, é muito cedo. Quando é tarde demais, é tarde demais. Devemos apenas concordar com tudo o que está aqui e agora. Tal como está.

---

[2] N. do T.:: A palavra "allein" (sozinho/solitário) em alemão, é composta das palavras "all" (todo) e "ein" (um)

Concordo com tudo assim como é.

Nós sorrimos. Expandimo-nos para o universo até a galáxia mais distante. Como uma unidade dentro da existência abrangente.

Como nos sentimos?

O que sentimos em nossos pulmões?

O que sentimos em nosso coração?

Sentimo-nos desapegados ou conectados?

Sentimos gratidão?

Sentimo-nos ancorados no nosso corpo? Então, interiormente, diga a palavra "sim". Eu estou aqui e fico aqui. SIM! Sorria! Sorria!

Obrigada, obrigada! E sinta gratidão.

Se você pode sentir gratidão intensa pelo batimento de seu coração, então, expire profundamente pela boca, e inspire pelo nariz, com a boca fechada.

Imóveis, repetimos essas sequências de expiração e inspiração, cinco vezes, sem nenhum movimento. Completamente no sentimento de consentimento. "Sim!"

Quando você estiver completamente no Aqui e Agora novamente, abra os olhos.

Resumo

1. ***O grande segredo das mitocôndrias e como elas transformam a energia em combustível para nós;***
2. ***Nossa respiração e como ela alimenta nossas mitocôndrias;***
3. ***Antibióticos, os destruidores de nossas mitocôndrias;***
4. ***É assim que criamos um campo frutífero para doenças crônicas.***

Notas pessoais

XXVII

A imposição de mãos

A imposição de mãos difere de outros métodos – se é que pode ser chamada de método – uma vez que necessita de, no máximo, apenas cinco minutos para iniciar um processo espontâneo de cura. É uma ferramenta divina. No entanto, a seguinte pergunta desempenha um papel importante: o espírito e a alma da pessoa estão prontos para aceitar e executar o impulso de cura ou necessitam de alguma informação antes? Mesmo que, por horas, faça-se a imposição de mãos em alguém, nada acontecerá, se for o momento errado, e a pessoa ainda não estiver pronta para uma cura.

O impulso de cura, que primeiro passa pela pessoa que faz a imposição de mãos, flui, em seguida, através dela, neutra e fortemente, como uma espécie de canal, até a pessoa que está sentada ou deitada à sua frente. Na verdade, o impulso de cura leva segundos, ou melhor dizendo: não pode ser medido em unidades de tempo terrenas. Ele ocorre instantaneamente, ou seja, em um piscar de olhos. Assim que a frequência é claramente ajustada, colocamos nossas mãos. Deixamos nossas mãos no corpo ou no centro energético, por cinco minutos, apenas para garantir que, durante esse tempo estejamos por, pelo menos, um segundo, livres de pensamentos, conectados infinitamente e a serviço de uma força maior. Por essa razão, nunca devemos nos oferecer de forma insistente. A outra pessoa precisa querer algo de você, ela deve vir e pedir. As exceções são crianças, situações de emergência e animais.

Cosmic Power® diz respeito a outro plano de consciência. Nesse plano energético, há uma cópia perfeita de cada corpo. É lá que se encontra nossa matriz. Ela se reconstrói sozinha se acessarmos o canal e nos deixarmos ser tocados por ela. Se a pessoa que faz a imposição de mãos, mesmo que apenas por um segundo, torna-se una com o universo e com o ponto primordial – livre de pensamento, desejo ou intenção – então, a fusão acontecerá espontaneamente e sem limite de tempo. Ninguém sabe exatamente o que e como é isso.

27.1 *Feedback* de participante de um seminário de Cosmic Power®

Participei várias vezes dos seminários de Cosmic Power®. No início, assim como muitos, eu pensava: 'Bem, eu já conheço tudo isso e, todas às vezes, fazemos a mesma coisa. Pelo nosso dinheiro, deveríamos receber algo novo, a cada seminário.' Contudo, algo sempre me fez querer participar do próximo seminário. Agora, eu sei que esse algo estava certo. O fato é – e eu entendi isso neste seminário – que em um spa ou centro de bem-estar, mesmo que eu o visite várias vezes seguidas, eu sempre recebo a mesma coisa, por exemplo, a mesma água mineral. Assim sendo, não me pergunto por que não há nada de novo para meu dinheiro comprar. Então, como um relâmpago, fui tomado por uma percepção: esse é um centro de bem-estar espiritual. Aqui, recebemos o bem-estar energético!

No início, apenas por um determinado período, após o seminário, eu praticava regularmente a respiração e a meditação. Obviamente, os "milagres" não se concretizavam. Após o terceiro seminário, comecei a trabalhar com meu pai, duas vezes por semana. A respiração consciente e a meditação tornaram-se uma atividade natural. Isso foi há quase dois anos. A prática diária da respiração consciente e a imposição de mãos regular, mudaram minha vida.

Desde então, tenho experimentado alguns "milagres". Considero como "efeitos secundários" as vagas de estacionamento fáceis de encontrar e os funcionários fiscais amigáveis, após apenas algumas respirações de minha parte. Aqui estão algumas experiências reais:

Certo dia, minha irmã teve uma alergia que a fez perder a voz. Dez minutos após minha intervenção, ela pôde falar novamente.

A mesma coisa aconteceu com uma das minhas colegas de trabalho. O tratamento também a ajudou.

Meu irmão precisava ir diversas vezes ao hospital para remover pedras dos rins. Quando, após a quarta vez, outra intervenção estava prevista – e eu já tinha ganhado confiança e segurança em minhas habilidades –, eu disse a ele que tinha aprendido algo que poderia ajudá-lo. Não faria nenhum mal e, definitivamente, valeria a pena tentar. Durante três dias seguidos, eu fiz a imposição de mãos sobre ele. Depois disso, ele voltou ao hospital. Durante o exame, descobriu-se que as pedras nos rins haviam desaparecido. Meu irmão voltou muito feliz para casa.

Agora algo realmente maravilhoso: um amigo que me ajudou com um trabalho, de uma hora para outra, ficou pálido e desmaiou. Muitas vezes, com as respirações aprendidas, eu imaginava como reagiria em situações como essa. Agora se tornou realidade. Não me lembro exatamente do que aconteceu, mas depois de uma breve intervenção, ele rapidamente recuperou a consciência. Quando ele se levantou, vi que pingava sangue de suas calças. Mais tarde, soube que, durante uma cirurgia de úlcera estomacal, ele havia perdido muito Como o sangue escorria cada vez mais, fomos ao banheiro, e eu continuei a tratá-lo. O sangramento parou, e telefonamos para o médico dele. O médico ordenou que ele fosse levado ao hospital imediatamente. E a maneira mais rápida de alguém chegar ao hospital é ser levada por alguém que já está com ela, presente. Meu vizinho, que estava nos seguindo, dirigindo, disse, mais tarde, que nunca havia experimentado tamanha "onda verde" com os semáforos, como essa. Após três dias, meu amigo teve alta do hospital e foi passar as férias na Itália e esquiar.

Qualquer um que tiver a permissão e conseguir fazer a imposição de mãos sobre outra pessoa tem uma grande vantagem: a energia flui primeiro através da pessoa ativa, que impõe a mão e, depois, para a pessoa passiva, que é tocada. Aquele que aprendeu corretamente e agora segue as instruções, sente-se fortalecido, esclarecido, purificado e enriquecido, após a imposição de mãos. Quem está ali por esse outro ser, também se beneficia, portanto, dessa energia. Ocorre uma atualização mútua das energias, até o equilíbrio ser restaurado. Isso continua operando até que o equilíbrio seja restabelecido. Você está a serviço de TUDO.

Cada pessoa que se coloca à disposição para outras está sujeita a uma troca e a uma atualização de informações. Ao fazer isso, a pessoa ativa deve ser capaz de desligar-se por completo, para que não transmita sua energia pessoal. Ela deveria ser como um tubo oco. Muitos sabem disso e conhecem isso de outros métodos de cura. Não se trata de um segredo, mas sim de como está escrito: dar é mais abençoado do que receber.

Com Cosmic Power®, no entanto, o efeito da imposição de mãos tem eficácia atemporal. Não é preciso ser terapeuta para aprendê-lo. Não importa a profissão que você tenha – qualquer pessoa pode aplicá-lo, seja operadora de caixa ou faxineira, médico ou engenheiro. Todos, de alguma forma, estão equipados e conectados com a beleza, com a perfeição e com o todo-abrangente, e trabalham por meio disso. Vou dar um **exemplo**:

Um amigo meu, uma pessoa de bom coração, não teve o privilégio de receber uma boa educação. Há alguns anos, ele participou de um de meus cursos de Cosmic Power® e, depois, sentiu o desejo de se tornar massoterapeuta. Eu me perguntava como isso funcionaria. Ele não dominava o idioma alemão. Então, como ele seria capaz de aprender todos os termos atinos inseridos em textos da língua alemã que ele precisaria para satisfazer suas aspirações profissionais?

Porém, o impossível tornou-se possível. Meu amigo realmente conseguiu uma requalificação, financiada pelo Estado, como massoterapeuta. Entre cerca de 700 candidatos, ele foi uma das 15 pessoas selecionadas. Cinco dos futuros massoterapeutas puderam completar o treinamento em uma grande clínica. É claro que meu amigo estava entre eles. Tempos depois, ele conhecia os termos latinos, para partes do corpo e órgãos, melhor do que falava alemão. Nos anos seguintes, durante os meses de inverno, ele trabalhou como massagista em um hotel de luxo. Ele estava sempre com a agenda lotada, o que não se podia dizer de seus colegas. Todos os convidados queriam agendar um horário com ele. Durante os meses de verão, meu amigo vive em uma pastagem alpina e produz queijo. Nesse ramo, seu trabalho também foi coroado de sucesso. Tanto a imprensa quanto a televisão noticiaram diversas vezes sobre ele. Seus sabores de queijos foram premiados, várias vezes, com medalhas de ouro, em competições – à frente dos favoritos líderes da França, Itália e Suíça.

Em algum momento perguntei-lhe: "*Como você faz isso, estar na televisão e na imprensa, o tempo todo? Você nem sequer fala alemão corretamente.*" e ele respondeu: "*No curso de Cosmic Power® você me disse: 'Você vai ser uma pessoa muito famosa'. Naquela época, pensei que isso não poderia ser verdade. Afinal, sou o nono filho de um agricultor das montanhas, só frequentei a escola primária.*"

Depois lhe perguntei de novo: "*Como você faz esse queijo? Por que você recebe tantas medalhas?*"Então ele disse: "*Primeiro, eu coloco meus braços no leite e o movimento. Enquanto isso, faço a respiração o tempo todo. Eu sei exatamente quando já respirei o suficiente. Então, eu tiro minhas mãos. Faço exatamente a mesma coisa com a máquina, antes de ligá-la, para bater o leite, eu respiro para ela.*"

Meu amigo trabalha com pessoas, animais e alimentos. Ele tem um efeito curativo, em todos os lugares. Ele está sempre cheio de humildade e gratidão. Ele é uma bênção para todos. Um servo exemplar.

Eu, pessoalmente, já experimentei o efeito da imposição de mãos, quando transmitia, para pequenos grupos, o conhecimento que havia adquirido do Dr. Curtis. Naquela época, durante um de seus cursos, em uma universidade, eu quebrei meu pé. Os médicos do hospital explicaram que eu teria de usar gesso, por seis semanas, e andar de muletas. Como se tratava de uma fratura complicada, eu deveria permanecer no hospital, por vários dias.

Durante esses dias, dois bons conhecidos visitaram-me e levaram-me até meu amigo, Dr. Curtis, porque ele havia me telefonado. O seminário foi realizado a cerca de 250 quilômetros de distância. Meus conhecidos levaram-me até o Dr. Curtis, no palco, e ele imediatamente me perguntou: "*Você se esqueceu do que aprendeu*?". "*Não*", respondi indignada, explicando que os médicos haviam recomendado que eu mantivesse minha perna elevada por seis semanas. Irritado, o Dr. Curtis me perguntou, "*E você acredita nisso?*". Eu nunca o tinha visto tão chateado. "*Eu te digo, você tem de ter cuidado com sua perna, no máximo, por 14 dias*", ele continuou. "*Você não tem suas mãos? Você se esqueceu de tudo o que aprendeu comigo?*"

O Dr. Curtis deu-me diversas bofetadas retóricas. Isso foi uma coisa boa, pois acordei e entrei em ação. Hoje eu posso dizer: existiu para mim um tempo antes dessa fratura da perna e um tempo depois.

Segui o conselho do Dr. Curtis e fiz a imposição de mãos em mim mesma. Após 17 dias, voltei ao hospital e solicitei a retirada do gesso. No início, o médico recusou-se, mas eu não desisti. Por fim, o gesso foi removido, por minha própria conta e risco. A radiografia seguinte provou que a fratura havia cicatrizado. Meu médico não conseguia acreditar. Um dia depois, eu já podia andar de tênis novamente. Foi só então que percebi o que é possível, com a ajuda de uma mudança de pensamento, do que são capazes uma confiança 100% e a fé. Eu tinha me dado uma chance e percebi: por meio do poder de nossos pensamentos e da força que flui, através de nossas mãos, é possível mudar a chamada realidade.

É importante ter sempre em mente: não se trata da **nossa** força. Nós não realizamos **tratamentos**. Não afirmamos ser capazes de curar ninguém. Nós apenas fazemos a imposição de nossas mãos sobre eles. O curandeiro vive sempre na pessoa que está sentada à nossa frente.

27.2 Imposição de mãos em crianças

As crianças, intuitivamente, sentem o que é bom para elas. Elas reagem imediatamente. É assim que elas também reagem ao poder das mãos, quando já tiveram essa experiência. Mesmo quando mal conseguem falar e se machucam, elas vêm correndo e pedem ajuda, pois elas sabem qual energia e cura emanam das mãos da mãe. E elas sabem muito bem quando já receberam o bastante.

27.2.1 *Feedback de participante de um seminário de Cosmic Power*

Meu filho teve uma dor de estômago, e eu fiz a imposição de mãos sobre ele. Depois de cinco minutos, tudo estava bem novamente. Recentemente, durante um trabalho, meus olhos ficaram expostos a muito pó e estavam doendo muito. Eu fiz a imposição de mãos sobre eles, e o alívio veio imediatamente. Sem mais nem menos, mal se pode acreditar! Mas esses são os fatos.

27.3 Imposição de mãos em animais

Também experimentei, diversas vezes, – com resultados surpreendentes – a imposição de mãos em animais. Eles reagem de forma absolutamente fantástica. Isso se aplica, até mesmo, às borboletas, as quais, dificilmente, podem ser tocadas. A seguir, vou falar de duas experiências que tive com animais.

27.3.1 Um beija-flor consegue voar novamente

Um pequeno beija-flor havia se perdido dentro de casa, no Brasil. Ele voou, diversas vezes, contra uma vidraça, bateu com a cabeça e acabou caindo no chão. Lá, permaneceu deitado, com as asas estendidas, e não se moveu mais. Cuidadosamente, eu o peguei na mão. Ele tinha aberto bem o bico, como se estivesse dando seu último suspiro. Então, gentilmente, coloquei a minha outra mão sobre ele. Sentei-me no terraço e, enquanto observava a natureza, simplesmente respirei conscientemente. Olhei algumas vezes para ele, abanando com a minha mão.

Pensei que o passarinho já poderia, talvez, estar morto, e eu, ali,-querendo salvá-lo. Após algum tempo, eu não pensava em absolutamente nada mais, nem mesmo no pequeno beija-flor que eu ainda segurava na minha mão. De repente, eu me perguntei se o pequeno beija-flor havia morrido, nesse meio tempo. Abri um pouco as mãos e vi: ele estava morto, com as pernas esticadas. Eu continuei segurando-o em minha mão, porque eu não queria levantar. De repente, ele puxou levemente as pernas. Presumi que esses eram seus últimos espasmos e continuei observando-o. Subitamente, ele se moveu mais, como se estivesse se alongando. Eu não consegui ver tão depressa, pois ele, de repente,voou para longe. Embora eu já tivesse vivenciado algo parecido antes, isso me surpreendeu bastante. Dessa vez, eu estava realmente surpresa.

27.3.2 A cobra-d'água

Em frente à nossa casa, havia uma cobra-d'água ferida. Uma gata tinha mordido sua cauda e rasgado algo internamente. Peguei a cobra-d'água e segurei-a, gentilmente, na minha mão. Ela não se moveu. De repente, ela se enrolou novamente. Depois disso, ela viveu em nossa casa por três anos. Ela continuava voltando e tomando banho no recipiente de escoamento de água. Ela continuou lá, sem medo, mesmo tendo me visto.

Crianças, animais, plantas, máquinas e dispositivos – tudo responde e reage. Porque tudo tem consciência e está em constante interação. Aqui está um exemplo:

27.4 Uma chaleira elétrica voltou a funcionar

Há algum tempo, minha chaleira elétrica parou de funcionar. Eu precisava de água quente para o chá, mas nada aconteceu. Então, fiz minha respiração consciente, toquei e acariciei a chaleira ... CLIQUE ... A luz no interruptor acendeu novamente! Já vivenciei muitas histórias semelhantes e posso assegurar: os aparelhos elétricos reagem de forma excelente.

27.5 As mãos como ferramenta

Com nossas mãos como uma ferramenta, ativamos nossa consciência. Todas as informações e funções corporais fluem pelo sistema nervoso do Centro Energético 7 até cada célula individual. A conexão é criada por meio da central de ativação das sinapses. O Centro Energético 7 é tocado no caso de todo tipo de dor, emergências, problemas com ossos, músculos, tendões e articulações. Assim que nossas mãos tocam o

Centro Energético 7, o fluxo de energia fortalece-se, nos locais travados do corpo. Ou seja: as células lembram-se de suas atividades e tarefas, de modo que o alívio e a cura possam acontecer.

Sabe-se, pelas pesquisas, que a energia segue a atenção e se manifesta no local do corpo que, antes, doía. Dessa forma, é ativado um processo de autocura. Por meio do sistema nervoso, o alarme é soado e a energia potencializa-se, nos pontos de contato. O processo de autocura é, assim, ativado. O seguinte deve ser observado: a sensibilidade das extremidades é bem conhecida. As lesões nas mãos são mais dolorosas do que em outras partes do corpo. Isso também significa: nossas mãos são uma ferramenta poderosa. Para utilizar essa ferramenta, eficazmente, é necessário praticar, para despertá-la de seu próprio sono de Bela Adormecida, e aprender com suas próprias experiências.

Portanto, se a pessoa que queremos ajudar, por meio da imposição de nossas mãos, de repente, sentir mais dor durante o processo, isso só mostra que a imposição de mãos foi um sucesso. É como um duto de água que não é usado há muito tempo: a ferrugem e a água suja saem primeiro. Se a pessoa doente ou ferida receber, por sete dias, a imposição de mãos, a dor será aliviada rapidamente, e não é apenas isso: um intenso processo de tomada de consciência será ativado.

Em muitos casos, a pessoa que recebeu a imposição de mãos não quer continuar o toque, porque as dores frequentemente ficam mais fortes durante os sete primeiros dias. Se a pessoa gritar: “Pare! Não aguento mais!”, as mãos devem ser retiradas. Do que se trata aqui: sofrer é mais fácil do que curar, pois toda enfermidade oculta, em si, pelo menos, uma vantagem e um benefício que são muito maiores do que a pressão pela dor. Tudo tem sua justificativa e, também, seu preço.

Se quisermos alcançar uma melhoria profunda dos sintomas corporais, temos de continuar os exercícios respiratórios por 40 dias consecutivos. Esse tempo é necessário para reescrever os programas corporais. Esse período para cura também é conhecido na medicina. Por exemplo, é o tempo necessário para concluir, com sucesso, uma reabilitação. Aparentemente, Jesus também sabia do efeito dos 40 dias. Ele os passou no deserto.

27.5.1 *Feedback de participante de um seminário de Cosmic Power®*

Meu marido e eu estávamos casados há três anos e queríamos ter filhos, mas eu, simplesmente, não engravidava. Procuramos muitos médicos, todos os tipos de exames foram feitos, mas sem sucesso. Nem eu nem meu marido tínhamos nenhuma doença ou distúrbio. Simplesmente, não havia razões que poderiam impedir a concepção de uma criança. Ambos tínhamos 26 anos de idade. O desejo de ter filhos era tão grande que já estávamos pensando em adotar.

Por acaso (ele realmente existe?) eu soube, por uma amiga, que um curso de Cosmic Power® seria realizado em Cazã. Eu não entendia exatamente o que era, mas eu queria realmente participar. Eu só tinha um anseio – engravidar. E eu estava disposta a fazer qualquer coisa para isso. O curso terminou, mas não houve mudança. Faltava-me a fé na possibilidade de que qualquer coisa pudesse mudar. Continuei a meditar e a fazer a imposição de mãos em mim mesma, como me ensinaram a fazer no curso. Depois de dois meses, engravidei. Foi um milagre absoluto! Agradeço de todo o coração a você, Sophie, por esse curso, que abre portas fechadas e ajuda a que milagres aconteçam, mesmo em situações em que os médicos já não tem mais o que fazer.

Gostaria, no entanto, de enfatizar uma coisa aqui: Cosmic Power® não diagnostica nem trata doenças. Cosmic Power® não substitui o médico ou qualquer terapeuta.

Um sintoma corporal - independentemente do local onde se manifesta no corpo - é sempre um acontecimento que afeta todo o corpo. Não é possível que alguém tenha uma doença nos olhos e esteja com o resto do corpo saudável. É sempre todo o corpo que está envolvido. Em Cosmic Power® trata-se da transferência de informações ordenadas. A matriz primordial perfeita de cada ser humano está armazenada no Universo. Entramos em contato com ela – sem estarmos fixados em nenhuma doença ou diagnóstico – por meio da respiração e da imposição de mãos. Nisso, acontece a transmissão de informações por meio do fluxo respiratório e do sistema nervoso, que transfere informações mais rapidamente do que qualquer pensamento. Todo pensamento cria travas. Isso é o que, ainda hoje, tanto me encanta, nesse método. Sem a necessidade de toques intencionais, por longas horas. A própria intenção sai de cena. Que aconteça aquilo para que o cliente está, agora, pronto e que ele é capaz de fazer. Isso não significa que eu tenha algo contra o toque durante horas. O corpo também ama muito isso, ele se sente bem, assim que recebe afeto. Negligenciar nosso corpo seria um comportamento nocivo. Porém, essa tarefa cabe ao seu dono, pois ele é o veículo que o carrega pela vida. Portanto, quem ama massagens deve fazer massagens.

Aqueles que querem máscaras faciais devem fazê-las. Aqueles que gostam de deitar-se ao sol devem se deitar ao sol. Aqueles que gostam de esportes devem praticá-los. E aqueles que gostam de nadar ou escalar as montanhas devem fazê-los, contanto que isso lhes faça bem. No entanto, se algo leva à dependência, então, significa que passou dos limites. Não importa se é uma dependência relacionada à comida, à bebida, ao cigarro ou a jogos e, até mesmo, ao trabalho. Existe de tudo. Existe até mesmo um vício de preguiça. E uma pessoa que está sempre tomando é, também, uma dependente.

Feedback de participante de um seminário de Cosmic Power®

Depois da jardinagem, sempre tive dores nas articulações dos braços. Mesmo se eu fosse nadar depois, a dor permanecia, por mais alguns dias, até que usasse uma pomada. Anteontem, novamente, passei um longo tempo arrancado ervas daninhas e, à noite, a dor nas juntas tornou-se quase insuportável. Eu fiz a imposição de mãos sobre mim mesma. Primeiro em um braço, depois, no outro. Depois de alguns minutos, as dores tinham desaparecido! Elas não retornaram mais. Acredite se quiser – não importa. Isso simplesmente acontece.

Feedback de participante de um seminário de Cosmic Power®

No segundo dia do curso de Cosmic Power®, fiquei com um entupimento nasal. Eu não tinha nenhum medicamento em casa, porque a última vez que estive realmente doente foi há dez anos. O entupimento estava ficando cada vez pior, e eu estava esperando ansiosamente pela oportunidade de fazermos a imposição de mãos, uns sobre os outros. No último dia do curso, chegou a hora. Eu tinha precisado de lenços a noite toda e estava com um forte formigamento no nariz. Na manhã seguinte, fiquei surpresa, ao descobrir que meu nariz estava descongestionado. Eu estava curada. Foi um pequeno milagre.

Feedback de participante de um seminário de Cosmic Power®

Recentemente, meu marido estava doente. Ele tossiu, por noites a fio, e não conseguia dormir. Eu me ofereci para impor minhas mãos sobre ele. Ele concordou. Eu fiz a imposição de mãos sobre ele, nas duas noites seguintes – a tosse desapareceu completamente. Foi simplesmente um milagre.

27.6 Quem tem permissão para fazer a imposição de mãos?

Em um dos meus cursos de Cosmic Power®, uma participante veio até mim com perguntas sobre a imposição de mãos. Estou relatando, literalmente, aqui, a conversa entre nós duas, pois ela ensina regras muito básicas para a imposição de mãos.

Participante: Tenho uma pergunta. Uma amiga minha tem uma criança com autismo leve, que, normalmente, não fala com ninguém. Depois de participar de um curso de Cosmic Power®, há alguns meses, eu disse para minha amiga que ela deveria fazer a imposição de mãos nos centros energéticos da criança. Depois de uma meditação, ela impôs suas mãos sobre a criança adormecida. Minha amiga, então, teve visões terríveis e ameaçadoras. Eu sei que houve complicações durante sua gravidez e, também, durante o parto. Quando minha amiga viu essas imagens horríveis, ela parou com a imposição de mãos. O que devo dizer à minha amiga?

Sophie Hellinger: Sua amiga já participou alguma vez de um curso de Cosmic Power®? *A participante diz que não.*

Sophie Hellinger: Isso é negligência. O que você fez foi irresponsável. Aquele que ainda não fez um curso, não sabe lidar com essa energia, não consegue canalizá-la. Com quais energias ela se conectou, disso eu não sei. Ela não sabia com o que ela estava se conectando. Em todo caso, ao que parece, não com Cosmic Power®. Qual é a idade da criança?

Participante: Oito anos de idade.

Sophie Hellinger: Há várias coisas a se considerar. Nunca se pode fazer a imposição de mãos sobre uma criança enquanto ela dorme. Nunca! Quando uma criança receber a imposição de mãos, ela deverá estar acordada, pois uma criança sabe exatamente quando já é o suficiente e, aí, ela corre para longe. Na maioria dos casos, de um até dois minutos, e não mais do que isso.

Ninguém deve fazer a imposição de mãos enquanto a outra pessoa dorme! Eu faço a imposição de minhas mãos sobre uma pessoa quando ela pede por isso. Preciso do consentimento da outra pessoa. Com uma criança, isso se passa de outro jeito, muitas vezes. É só quando uma criança teve experiências com a imposição de mãos que ela vem por conta própria e pede pela mão. Por exemplo, pode-se perguntar: "Eu aprendi algo, posso experimentar em você? Você está de acordo com isso?"

Cada imposição de mãos conduz a uma expansão da consciência. E cada doença é controlada pela mente. Tem pouco a ver com o corpo físico, ele só responde quando são infligidas dores à alma. Ou seja: para o bem e para o mal. Se a menina tem oito anos de idade, ela está 100% no campo energético de sua mãe. Portanto, surge a pergunta: o que se passa com a mãe? O que sobrecarrega a mãe e a criança o assume? A criança só mostra externamente o que a mãe carrega dentro de si. Como eu disse: com Cosmic Power®, podemos, também, abarcar coisas espirituais. Cosmic Power® atinge a origem do acontecimento.

Resumo

1. *Como crianças, animais e a matéria reagem a Cosmic Power®;*
2. *Tudo é reversível. Aqui, não se trata do tempo, mas sim da presença absoluta, da concentração, da percepção e da pureza do canal. Se o momento for errado e a pessoa ainda não estiver pronta para uma cura, nada acontecerá;*
3. *O impulso de cura que passa, primeiramente, pela pessoa que faz imposição de mãos, flui, depois, de maneira poderosa e neutra, através dela, como uma espécie de canal, até a pessoa sentada ou deitada à sua frente. Na realidade, o impulso de cura precisa de segundos, ele acontece instantaneamente. A única razão pela qual deixamos as nossas mãos sobre o corpo ou centro de energia, durante cinco minutos, é para garantir que estamos, por pelo menos um segundo durante esse tempo, sem pensamentos, infinitamente conectados e a serviço de uma grande força;*
4. *Não se deve oferecer Cosmic Power® de maneira invasiva. A outra pessoa precisa querer algo, ela precisa vir e pedir. Exceções são crianças, situações de emergência e animais;*
5. *Com Cosmic Power®, não são tratadas doenças nem são emitidos diagnósticos. Cosmic Power® não substitui o médico nem nenhum tipo de terapeuta.*

Notas pessoais

XXVIII

Cosmic Power® como medicina energética

O que acontece quando se toma um medicamento, ou seja, uma substância farmacêutica ativa? O medicamento transmite um sinal, portanto, informações que acessam a biologia mecânica e física do corpo. Ocorre, então, uma interação entre energia e vibração, que apoiam o corpo, mas também podem colocá-lo em perigo.

Daniel David Palmer (1845-1913) descobriu a quiropraxia nos Estados Unidos. De acordo com suas próprias declarações, em 18 de setembro de 1895, ele realizou uma pressão manual específica na vértebra do zelador surdo Harvey Lillard. Após essa pressão, na coluna vertebral, chamada de ajuste, Lillard, supostamente, pôde ouvir novamente.

O termo quiropraxia vem do grego e significa "tratar com a mão". Palmer percebeu que poderia usar vibrações, para criar uma ressonância com o sistema esquelético e restaurá-lo ao seu estado original saudável. Além da medicina convencional e da odontologia, a quiropraxia ocupa, hoje, uma posição importante entre ortopedia, neurologia, medicina interna e reumatologia.

Hoje, sabemos que as informações sobre as vibrações podem ser transferidas para um corpo. A substância utilizada para isso pode ser de origem química ou energética. Falamos de uma reação química, quando um medicamento é ingerido. O corpo responde com uma reação química.

Nesse contexto, recordemos o que acontecia nas aulas de química, na escola: misturávamos diferentes substâncias e era gerado vapor ou calor intenso. Esse calor físico natural é chamado de dissipativo, o que significa energia desperdiçada. Se usamos uma substância química que carrega um sinal, estamos falando de 100% de energia de sinal. Se uma reação química é produzida, ao combiná-la com outra substância química, é necessário subtrair a energia de reação. Essa energia subtraída, esse calor, que não é usado para informação e é apenas parte da reação química, é chamado de calor de reação. Quando entendemos que as experiências mostraram que 89% a 99% da energia contida nas moléculas físicas são perdidas sob a forma de calor - quanta energia ainda sobra?

Esse processo também pode ser observado no corpo, quando uma substância química é fornecida a ele. Durante a reação química que então ocorre, de 89% a 99% da energia valiosa é perdida como calor. Assim, apenas de 1% a 11% da energia da reação química é transferida ou utilizada pelo corpo. Se compararmos esse resultado com a energia que é transmitida por meio de vibrações, pode-se ver uma diferença significativa: um sinal de energia transmite quase 100% da informação. É, portanto, até cem vezes mais eficiente do que um sinal químico. Em um tratamento energético, portanto, atinge-se um efeito até cem vezes maior do que em um tratamento químico.

Outra vantagem do tratamento energético é a velocidade com que as informações são transportadas do transmissor para o receptor. As substâncias químicas necessitam da ajuda de líquidos, para se mover. Para se mover por um comprimento de cerca de 30 centímetros, uma substância química precisa, portanto, de um segundo. Em contraste, o sinal de oscilação de um campo magnético ou uma assinatura de vibração move-se a uma velocidade de 299.338 quilômetros por segundo. Isso explica por que o sistema biológico prefere, de longe, a energia vibracional à energia química. Ela é profunda, rápida e eficiente. A medicina energética tem, ainda, outra vantagem especial: ao contrário da medicina química, está livre de efeitos colaterais – desde que a pessoa a aceite voluntariamente. Isso explica por que a imposição de mãos com Cosmic Power® tem uma taxa de sucesso tão alta.

28.1 *Feedback de participante de um seminário de Cosmic Power®*

Eu tinha praticado muito para entrar em contato com a energia cósmica, por meio da meditação, exatamente como aprendemos a fazer. Recentemente, meu filho de seis anos sofreu um grave acidente. Durante a noite, ele prendeu seu polegar entre a porta e o batente quando a porta se fechou. Ele gritava e chorava. Quando ele viu que seu polegar estava todo achatado, passou mal. Segurei-o em meu colo, respirando como havia aprendido, e fiz a imposição de minha mão sobre ele. Após um minuto, ele já havia se acalmado novamente, e com seu polegar parecia que nada havia acontecido. Eu compartilhei essa experiência no Twitter. Pouco tempo depois, recebi mensagens de outras participantes que também tinham ajudado seus filhos com esse método. Uma delas escreveu que a febre alta de seu filho tinha baixado rapidamente, em seguida. Outra relatou que ela havia "tratado", com sucesso, a dor abdominal e a constipação de seu filho, e assim por diante. Querida Sophie, estou comovida e conectada pela ajuda que você ensina! Por favor, receba nossa gratidão – minha e das outras mães – de todo o coração!

Feedback de participante de um seminário de Cosmic Power®

Gostaria de contar sobre uma experiência com Cosmic Power® em obstetrícia: Após meu segundo seminário de Cosmic Power®, fui atender uma jovem mulher que estava em trabalho de parto. Eu aliviei sua dor com uma massagem. Às seis da manhã, houve uma mudança de turno na clínica, e a médica, portanto, queria acelerar o parto., mas a jovem não queria receber uma anestesia epidural, em hipótese alguma, e pediu para tomar outra medida. Ofereci-me para fazer a imposição de mãos sobre ela. Ela concordou. Eu fiz a imposição de mãos exatamente como havia sido instruído no curso de Cosmic Power®. Após 15 minutos, começou uma segunda onda de contrações, elas se intensificaram e o bebê deslizou para o canal de parto. A médica ficou muito surpresa. E eu? Eu tomei um susto. Sinceramente! Naquele momento, compreendi a seriedade das possibilidades e a responsabilidade que vem com elas. Nasceu uma garota maravilhosa.

Resumo

1. *Como toda pessoa é emissor e receptor simultaneamente;*
2. *Como funciona: por meio das informações, vibrações são transmitidas para um corpo. A substância utilizada aí pode ser de origem tanto química quanto energética;*
3. *Um processo pode ser observado no corpo quando uma substância química (um medicamento) é aplicada sobre ele. Na reação química, perde-se de 89% até 99% da valiosa energia. Um sinal de energia transmite quase 100% da informação. No tratamento energético, alcança-se, portanto, em comparação com um tratamento químico, um efeito até cem vezes maior;*
4. *A maior vantagem que destaca a medicina energética: ela é livre de efeitos colaterais, ao contrário da medicina química.*

Notas pessoais

XXIX

O efeito de Cosmic Power®

Durante um curso de Cosmic Power®, uma participante que já tinha frequentado vários seminários relatou, impressionada, suas experiências:

Em 2008, fiz, pela primeira vez, um curso de Cosmic Power®, na cidade austríaca de Pichl. Hoje, aqui e agora, de certa forma, o círculo fechou-se novamente. Eu estava grávida, naquela época, uma pessoa miserável, já mãe de uma criança e com a segunda na barriga. Os médicos tinham me avisado que havia o risco de perder a criança e até de eu morrer. Minha vida encontrava-se em uma situação terrível: meu casamento estava destruído, eu estava financeiramente arruinada e minha autoestima havia chegado a zero. Mas eu também parecia ter chegado ao ponto em que estava pronta para fazer qualquer coisa para sobreviver.

Dois dias antes do início do curso de Cosmic Power®, eu descobri que não poderia ir até Pichl. Faltava-me dinheiro para isso, porque, naquela época, o curso estava ligado à participação no International Hellinger® Camp, e eu não tinha a menor condição de pagar esse evento. Inclusive fisicamente, a viagem para o Camp era impossível para mim. Eu não podia dirigir e, além disso, eu estava fisicamente muito mal. Outras complicações haviam surgido, mas, por dentro, eu sabia exatamente: eu viajaria para Pichl. Eu tinha tomado a decisão de ir até lá – mesmo não tendo a menor ideia de como fazer isso. Pensei comigo mesma: 'Se for preciso, eu caminharei ou rastejarei até lá, mas eu irei.'

É por isso que eu entendo tão bem qualquer um que tenha dificuldades para vir aqui. Na época, parecia que, em muitos aspectos, não me era permitido, mas, quando tomamos uma decisão, – seja ela qual for – tudo muda repentinamente. Para mim, tudo se resolveu na véspera do início do curso. Eu, inclusive, encontrei alguém para me levar até o evento. Quando finalmente cheguei lá, comecei a ter desmaios frequentes. Os ajudantes do curso tinham de me socorrer o tempo todo. O fato é: minha vida mudou completamente. Foi também uma bênção para mim: seis semanas mais tarde, teve outro curso de Cosmic Power®, do qual eu participei. Esperar seis semanas para aplicar o que você aprendeu é muito mais fácil do que esperar seis meses. É por isso que continuo dizendo e pedindo a cada um de vocês: fiquem juntos e aguentem firme! Somente juntos podemos continuar. Já se passaram anos, e ainda sou casada com o mesmo homem.

O grupo aplaude.

E além de tudo, ele é um homem completamente diferente. Eu também me tornei completamente diferente. Eu tenho duas crianças incríveis. E, querida Sophie, é como você disse na época: "Uma criança na barriga que experimentou Cosmic Power® duas vezes se tornará uma criança especial." Meu filho nunca desiste e ele é sempre um novo e maravilhoso desafio para mim, mas não consigo enfatizar o suficiente: tudo mudou completamente. Minha saúde, as crianças, toda a minha família. Além disso, sou bem-sucedida em todos os aspectos. E o que é mais importante: minha situação financeira também é diferente hoje em dia. Naquela época, em uma escala de 1 a 100, eu estava na faixa negativa. Isso passou. Mais e mais oportunidades estão se abrindo para mim o tempo todo e, no momento, estou em uma escala de quase 100.

O que eu consegui, qualquer um de vocês pode conseguir. Qualquer um! Eu também tive sorte, Sophie, que você realmente nos treinou duramente naquela época. Você sempre dizia: "Agora vamos nos sentar eretos, com as costas retas, olhar suavemente para frente, sorrir, expirar. Expirem mais!". Na época, eu pensava: 'Agora ela está realmente exagerando. Ninguém consegue expirar por tanto tempo. E o que tem a ver isso de sentar-se ereto e olhar suavemente para frente? Qualquer outra coisa que ela diz é muito mais interessante do que isso.' Mas você, Sophie, não desistiu. A cada meia hora, era: "Sente-se direito, olhe suavemente para a frente". Isso me salvou, porque, ao voltar para casa, eu já tinha feito disso um hábito. E tem mais uma coisa que eu levei e, também, agora, levo de novo dos cursos: a alegria de conhecer tantas pessoas fantásticas e de poder ir adiante com vocês. Especialmente graças às suas palavras, Sophie, que foram realmente duras, que foram impiedosas. Mas só isso realmente ajudou.

Os participantes riem.

Ser acariciada não tem utilidade. Com isso, nós continuamos preguiçosos. Meu pedido a cada um de vocês: continuem firmes! Vocês não podem sequer imaginar o que significa ser ilimitado na vida real. Não é uma prática espiritual com a qual se medita um pouco para poder curar um pouquinho aqui e ali. Cosmic Power® – significa possibilidades ilimitadas no mundo físico real. Imaginem como tudo pode mudar, se continuarmos seguindo juntos.

Os participantes aplaudem com entusiasmo. Muitos choram emocionados.

Sophie Hellinger: Eu te agradeço.

Os participantes não param de aplaudir intensamente durante 25 minutos. Todos os participantes foram tomados pelos seus movimentos internos, que se expressam de diferentes maneiras.

Bert Hellinger participou de todo o curso mais uma vez e, então, disse: "*Nunca houve nada parecido com isso antes. Nunca tinha experimentado nada assim*". *Sophie Hellinger observa o grupo com muita atenção e calma. Ela deixa o movimento continuar.*

Sophie Hellinger: Agora expire profundamente e inspire pelo nariz. Solte tudo o que é velho e que sobrecarrega você. Dê espaço ao novo e inspire profundamente. Inspire muito mais do que o usual! E expire bem lentamente. O olhar permanece suave. Expire e inspire com o olhar suave! Então, deixe os olhos fecharem-se e sente-se! As mãos descansam sobre as coxas, as costas estão retas e a respiração torna-se superficial! No rosto, há um grande sorriso. Um sorriso bem largo. Silêncio na sala, por dez minutos!

De repente, alguns participantes começam a chorar alto, outros cantam, alguns gemem. Todos seguem seu movimento interior. Trata-se de uma experiência sem precedentes. Uma experiência extraordinária. Essa força energética não pode ser descrita nem explicada de nenhuma outra forma. Depois de mais 15 minutos Sophie Hellinger bate em seu microfone.

Sophie Hellinger: Expiramos, abrimos levemente os olhos e inspiramos. Novamente fora e dentro, pelo menos, cinco vezes. Um sorriso vem ao rosto. Você sorri para si mesmo. Agradeça a seu eu interior pelo que ele te revelou. Sinta-se dentro de si mesmo agora. Que sentimento está dentro de você agora? O que foi permitido se revelar? O que se libertou? O que você resgatou? O que se resgatou por conta própria? Foi uma cura em massa, sem precedentes, em ação.

Devido aos 25 minutos de aplausos, os canais de energia foram purificados. Por meio dos sons que todos fizeram, os outros níveis relacionados à fala foram purificados e reconectados. Como resultado, os centros energéticos foram colocados em máxima ação. Pelos movimentos do corpo, cada um armazenou tudo isso em seu próprio corpo. Tudo isso foi armazenado no corpo, como memória, para sempre. Podemos acessar essa experiência, sempre que precisarmos de ajuda. Vemos que cada um pode encontrar seu próprio caminho para a cura. Isso é particularmente fácil, em um grupo muito especial. Só precisa de uma faísca inicial e, então, começa. Como seu corpo se sente agora? Você se deixou renascer? Você é uma nova pessoa? Quem se sente assim?

A maioria dos participantes respondeu com um alto e forte Sim.

Sophie Hellinger: Uma pessoa externa pode fazer relativamente pouco. Cada um faz o máximo por si mesmo. Seria bom, é claro, se todos pudessem passar adiante o que aprenderam aqui. Se houvesse bases de Cosmic Power® por toda parte, que se estendessem como uma rede ao redor da Terra, então, o resultado só poderia ser a paz.

29.1 *Feedback de participante de um seminário de Cosmic Power®*

O que aconteceu comigo está além de qualquer descrição. Uma amiga me levou a um curso de Cosmic Power®. Eu já havia reclamado de problemas familiares, e ela havia me dito: "Por que você não vai? Você vai ver, você terá outro ponto de vista. O que você tem a perder? O curso começa em uma semana"... Foi assim que eu cheguei ao seminário. E fiquei profundamente impressionada com o que recebi, que um novo modo de vida era possível. Mas o maior milagre é o seguinte:

Antes do curso, eu havia marcado uma cirurgia para a remoção de um mioma. Na próxima consulta médica – uma semana após o seminário – minha médica exclamou, incrédula, após o exame: "O que aconteceu? Não está mais aqui"! Eu disse: "O que não está mais aqui?". Ela respondeu: "Seu mioma". Ele se foi. O que você fez? Onde você esteve?" Ela estava ainda mais espantada do que eu. Durante o curso, eu tinha ouvido muitos relatos semelhantes, mas eu não tinha como saber que seria a mesma coisa comigo. Estou tão feliz, que não tenho palavras.

Minha amiga, depois, perguntou-me sobre o relacionamento com meu marido. De repente, eu entendi: tudo está bem! Eu nem sei exatamente quando isso aconteceu. Eu tinha simplesmente esquecido meus "problemas". E eles simplesmente se dissolveram!

Resumo

1. ***Estar presente é tudo! Vocês não podem imaginar o que significa estar na vida real, sem restrições;***
2. **Cosmic Power® – são infindáveis possibilidades no mundo *físico real;***
3. ***Experiência não é o mesmo que conhecimento.***

NOTAS PESSOAIS

XXX

Cosmic Power® e Familienstellen Original Hellinger®

No início, eu presumia que Cosmic Power® era apenas um pequeno acréscimo à constelação familiar, mas isso foi um engano. Hoje, eu estou convencida de que Cosmic Power® é a base de Familienstellen Original Hellinger®, porque Cosmic Power® é uma presença eterna e onipotente de tudo o que existe. E se Cosmic Power® é uma força eterna, que se expressa em movimento, então o próprio movimento eterno atua por trás dele.

Cosmic Power® não é, portanto, nada mais do que vida em sua forma mais pura. Porque a vida é igualmente eterna e não termina. Não importa se estamos fisicamente presentes ou não, estamos acolhidos em Cosmic Power® e, somente por essa razão, estamos sempre presentes. É comparável à semente de uma árvore. Mesmo que essa morra, mas sua semente tenha, anteriormente, chegado à terra, ela permanecerá lá, talvez 200 a 300 anos congelada ou ressequida no solo. Quando, de repente, o sol brilha, chove e o solo descongela, a semente ganha vida e se desenvolve.

O germe da vida é energia, e a energia é indestrutível. Essa é uma lei física. De acordo com essa lei, o ser humano aparece, com o corpo que ele tem agora, nesta vida, como uma forma de energia. E isso não começou com o nascimento do corpo. Isso também significa que uma pessoa, após sua morte, vai embora, mas, ao mesmo tempo, ainda permanece aqui. Onde? Por toda parte? Aqui, simplesmente. Não sabemos se há tempo ou espaço para esse Ser.

Durante um curso de Cosmic Power®, eu sempre vejo e percebo centenas de seres. Todos eles olham para mim e têm grandes expectativas em relação a mim e a todos os presentes, para libertá-los. A maioria deles têm intenções benévolas conosco.

Com *Familienstellen* a situação é semelhante. No entanto, nem todos os seres são sempre benévolos. Perguntei a esses milhares de seres eternos, desses seres energéticos, sobre o motivo disso. A resposta deles deve surpreender a muitos consteladores:

"Fomos chamados diversas vezes em constelações e, no final, ninguém fez nada por nós. A constelação foi um espetáculo, mas nós, os ancestrais, ela não nos ajudou. Ficamos presos e ainda estamos presos. Estamos isolados."

É por isso que esses seres energéticos, esses ancestrais, agora ficam, muitas vezes, retraídos e, às vezes, até hostis ou zangados. A constelação permanece, então, estática. Nenhuma das pessoas posicionadas se move. Então, eu interrompo imediatamente a constelação. Naquele instante, uma tal interrupção não agrada nem um pouco o cliente, mas os ancestrais sentem-se levados a sério e ficam, mais uma vez, com uma mente positiva. Uma constelação interrompida, devido à estaticidade, chega a ter, surpreendentemente, como consequência, um acontecimento curativo muito profundo. É realmente muito emocionante: com frequência,menos é mais. Por sua vez, isso comprova: uma boa constelação, bem-sucedida, não precisa necessariamente terminar com todos felizes nos braços uns dos outros. Então, o cliente chega até a dizer que, agora, ele não precisaria mais cumprir nenhuma contribuição em sua vida cotidiana.

Eu, como consteladora, não quero pagar as dívidas que foram acumuladas antes. Meu falecido marido Bert sempre dizia: "Constelações familiares são perigosas, principalmente para o constelador. A maioria dos consteladores é criminosa. Eles só olham para o dinheiro. Eles vendem sua alma e a dos outros pelo dinheiro".

Por meio de Cosmic Power®, eu pude ver e confirmar como a constelação familiar é um perigo para o constelador. Por isso,afirmo: quem não conhece Cosmic Power®, também não pode conduzir uma constelação realmente poderosa e efetiva. É como procurar um anel minúsculo no oceano. É possível encontrá-lo? E o que acontece depois? O que acontece com ele? No seu sistema? Com os filhos dele? Ficar se intrometendo no universo e no sistema tem consequências.

Torna-se particularmente perigoso se o constelador exigir um preço mais alto dos participantes do curso – daqueles que desejam uma constelação – do que dos observadores que estão disponíveis como representantes. O universo não pode ser comprado, ele não obedece ao dinheiro! Aquele que se senta na última fila e nunca levanta a mão, para pedir por uma constelação, pode receber mais do que qualquer outra pessoa. Na constelação e como observador, você precisa ser capaz de esquecer de si mesmo. Se você consegue fazer isso, a lei da ressonância entra em vigor. Se você não consegue fazer isso, então, esqueça. Porque o resultado será apenas uma mudança nos sintomas. Não mais que isso.

Mas voltemos mais uma vez aos nossos ancestrais. As pessoas que encontramos em nossas vidas, podemos vê-las, ouvi-las e respondê-las. Podemos reagir a elas e podemos lidar com elas. Mas como lidamos com seres que não podemos ver e que, todavia, estão ali?

Um princípio físico é: a energia não pode ser destruída nem produzida, a energia apenas pode ser transformada. Se partirmos do princípio de que o ser humano é um ser energético, então, a vida como tal também é, pode ser apenas transformada, mas não destruída. A vida, a energia da vida, precisa, portanto, ser eterna. Ela continua presente, mesmo depois de deixarmos nosso corpo. Só assim se explica porque e como uma constelação familiar pode funcionar. Não seria possível se tudo acabasse, terminasse e fosse esquecido com a morte.

30.1 Ver, registrar, estar desperto e presente

Essa postura deve ser adotada não apenas pelo constelador, mas por todos que observam e seguem Familienstellen Original

Hellinger®. O seguinte também se aplica ao constelador: ele deve perceber quando e como o cliente e os representantes começam a se movimentar interiormente. Cada micromovimento deve ser registrado também. E, ao mesmo tempo, ele deve ter em vista todo o grupo. Assim, toda constelação não é apenas para uma pessoa, mas para todos os participantes do seminário.

A fim de realmente fazer a diferença no sistema familiar do cliente, o constelador precisa de todos os participantes do curso como observadores presentes. Somente dessa forma, esse acúmulo de moléculas, que ali se encontram sob a forma de uma pessoa, pode ser colocado, ao máximo, em movimento. Tanto para o cliente quanto para o observador. De acordo com minha experiência, não existe uma constelação para uma pessoa.

Mas isso ainda vai mais além: se observarmos de maneira concentrada, colocarmos o olhar suave e praticarmos a respiração descrita nos capítulos anteriores, o campo energético de toda a constelação transforma-se imediatamente. De repente, impõe-se, entre os representantes, um outro movimento, mais amplo e mais abrangente. Muitas vezes, eles não representam mais as pessoas para as quais eles foram escolhidas no começo. Por meio de Cosmic Power®, é possível reconhecer esse processo e continuar acompanhando-o. Para ser mais precisa: muitas coisas mudam no campo dos mortos e dos vivos.

Entretanto, se um telefone celular for ligado em algum lugar da sala ou se alguém for filmado em segredo, todos os participantes do curso serão prejudicados. Tudo isso perturba o campo e influencia o resultado. Aquele que estiver com o telefone celular ligado, escrevendo ou fazendo outra coisa, estará em uma frequência diferente. Ao mesmo tempo, o campo das pessoas que estiverem sentadas em sua proximidade imediata – pelo menos, dentro de um raio de quatro metros – será perturbado.

Aquele que quiser se beneficiar ao máximo de uma constelação, precisa sintonizar claramente seu canal nessa frequência específica e alinhar-se com ela. Só assim é possível ouvir nitidamente o emissor. Se o canal não estiver claramente definido, teremos muito ruído de fundo e não conseguiremos entender o que está acontecendo.

Assim sendo: se, por exemplo, alguém estiver escrevendo atrás de mim, então, em um nível energético, em termos de comparação, significa: ele está ouvindo uma transmissão de futebol e eu estou ouvindo música clássica. Aquele que acompanha a partida de futebol, em outro canal, dirá: "Não há um concerto de música clássica, não há nada disso". E essa atitude pode ser transferida para a pessoa que está sentada ao lado. Uma interferência forma-se por meio de nosso campo energético, chamado Aura. Portanto, se permitirmos que a pessoa sentada ao nosso lado faça anotações ou qualquer outra coisa, isso afetará a todos, dentro de um raio de, pelo menos, quatro metros. Ao evitar esse tipo de situação, cada um protege seu corpo e sua aura.

Devemos saber e compreender que todas as nossas células corporais estão sempre ouvindo. Também precisamos saber que quando eu cruzo meus braços, tenho uma conexão diferente com o que está acontecendo no palco do que quando os mantenho abertos. O corpo reage a tudo. Ele reage de maneira bem diferente a um som ou a quando eu fico completamente em silêncio. Cada palavra tem um efeito diferente dos efeitos do silêncio. Se nos permitirmos, cada um poderá observar e sentir as diferentes reações físicas em si mesmo. Hoje em dia, esses acontecimentos já podem ser medidos.

Resumo

1. ***Cosmic Power® é a base de Familienstellen Original Hellinger®;.***
2. ***Precisamos saber e compreender que todas as nossas células corporais estão sempre escutando. O corpo reage a tudo.***

Notas pessoais

XXXI

Respostas de Sophie Hellinger a perguntas sobre Cosmic Power®

31.1 Do que se trata Cosmic Power®?

Cosmic Power® é a força que move tudo. É **a** força, se é que podemos e devemos chamá-la de uma força. Porque a palavra força limita e desperta uma certa ideia, mas ela é a origem do que move tudo. Portanto, é energia, e energia é vida. Então, não importa se eu olho para uma pedra ou para um ser humano. Foi apenas uma questão de tempo até que cada um fosse moldado da forma como é.

31.2 O que é necessário para Cosmic Power®?

O desejo forte, a prontidão e a abertura para mais abundância, mais saúde, mais alegria, mais felicidade, mais vida positiva, simplesmente mais – o mais é um pré-requisito para trazer novas possibilidades para o espírito. Cada curso de Cosmic Power® é como um quebra-cabeça para ativar e elevar sua própria energia vital, para estar permanentemente conectado a essa energia cósmica e para se sentir conectado. É claro que isso não deve ocorrer apenas na cabeça. E não é, nem de longe, suficiente escutar tudo isso uma única vez e já dar-se por satisfeito. A prática permanente é o pré-requisito para estar e permanecer conectado e para aumentar a própria percepção.

A prática permanente significa um claro "sim" para se unir a um outro plano, a partir do qual o sempre crescente avanço em nós será ativado, e o bloqueio será, simultaneamente, reescrito e, até mesmo, completamente apagado. Dito claramente, é o amor por si próprio.

31.3 Qualquer pessoa pode aprender Cosmic Power®?

Sim! Só precisa de uma decisão inequívoca. Por meio da prática constante, aquele que tiver tempo e paciência suficientes pode ir muito, muito longe. Por assim dizer, atingir o domínio sobre si e sua vida.

31.4 O que Cosmic Power® tem a ver com Familienstellen Original Hellinger® que ocorre, em grande parte, de forma silenciosa?

Cosmic Power® é a base de Familienstellen Original Hellinger®. Assim que eu pratico e aplico Cosmic Power®, não preciso mais ouvir qual problema uma pessoa tem. Escuto no plano energético, ou seja, com todos os meus sentidos e com meu coração. Os olhos são os sensores do meu coração. Quando o cliente vem e se senta ao meu lado, eu sei o que ele sente e até sei o que ele pensa. Normalmente, há uma grande diferença entre o problema apresentado e o problema real.

A raiz do problema apresentado, geralmente, está em um lugar bem diferente do que é suposto. No entanto, a solução está sempre escondida no problema. É por isso que não é necessário falar muito. Nessa postura, é até mesmo importante que o intelecto seja desligado. Deixo-me capturar, guiar e mover, totalmente, por meu coração. A grande arte de Familienstellen Original Hellinger® em conexão com Cosmic Power® é: quando eu interrompo a constelação de modo a deixar para a grande força o movimento posterior até a conclusão?"

Por que?

Há uma necessidade interna para isso. Muitas vezes, pude experimentar, dolorosamente,e, até mesmo, prever como um cliente corre, de forma focada, para seu infortúnio, sem que me fosse permitido dar um conselho. Bert ensinou-me a ficar em silêncio e deixar a outra pessoa entrar na sua infelicidade.

Às vezes, penso comigo mesma: "Mas há tanto potencial. Não posso intervir?". Como resultado, estou sempre em um estado de conflito interno, mas a resposta não verbal da outra pessoa é um claro NÃO, e respeito isso. Ela resulta em um benefício para a outra pessoa.

31.5 Em qual conflito?

Se eu devo dar dicas para que a pessoa tome consciência do infortúnio, para o qual está se dirigindo e, assim, seja capaz de evitá-lo. Ou talvez não.

Por quê?

Porque pode ser sentido se é possível ou não! Muito frequentemente, a pessoa precisa passar por essa experiência. Qualquer outra coisa só atrasaria e, depois, além disso, prolongaria o que é difícil. O amor significa ver o que a outra pessoa está sofrendo, atenta e abertamente. Sem querer saber melhor, mas sempre presente e pronto para apoiar.

31.6 O que é o campo?

Em Familienstellen Original Hellinger®, entramos no campo quântico. Ele pode ser chamado, também, de Registro Akáshico. O Registro Akáshico contém uma memória mundial, em forma imaterial. Ele pode ser consultado por iniciados de Akasha.

Cada pensamento, ação e emoção é armazenado nesse campo. É pura energia que está disponível ali, como informação. Na verdade, ela está disponível para todos, mas cada um precisa encontrar, por si próprio, a chave e, também, usá-la. Esse campo de informação tem um ou mais níveis? Há, por assim dizer, camadas mais profundas com respostas "melhores"?

Familienstellen Original Hellinger® abre a porta para entrar nesse espaço atemporal. Como sabemos, qualquer pessoa pode se chamar de "constelador" e, para todos, uma porta abre-se. Se o constelador tem uma intenção, e o cliente também, então é assim: eles entram em uma sala e, nessa sala, eles procuram e encontram uma solução. Todavia, essa sala tem inúmeras outras portas. Assim que eu abro uma dessas portas, há, nessa sala, inúmeras outras portas para outras salas, e assim vai infinitamente. Se o constelador consegue permanecer sem intenção, talvez uma próxima porta se abra para ele e para o cliente, assim como para o público. Agora, a questão é: qual porta se abrirá, quando há mais dez ou vinte portas? As possibilidades estão sempre em ressonância com o constelador. Então, quando eu entro na próxima sala, no nível seguinte, há mais trinta portas nela, e assim continua, sem fim.

31.7 Quem decide se uma intervenção é permitida durante uma constelação? O campo, o cliente ou o constelador?

O campo mostra e sinaliza, para o constelador atento, se e o que ele tem a permissão de "fazer". **Somente quando** um constelador **não** se sentir obrigado a ter de dar uma solução para o cliente, porque este pagou por isso, ou por medo de perder o cliente, ele e o seu cliente irão avançar. Quando o constelador permanece sem intenção na postura Cosmic Power®, as portas vão se abrindo uma após a outra. Isso abrange todos os participantes que ali estão. Desse campo, abrem-se informações que entram em ressonância com todos os presentes. As constelações familiares de Familienstellen Original Hellinger® que incluem Cosmic Power®, levam todos os observadores atentos com elas. Assim, todos, mas cada um à sua maneira, são presenteados. É como se fossem constelações em massa, nas quais cada um recebe exatamente o que pode aplicar agora. Todos experimentam uma libertação muito específica, sem ter sequer trazido seu pedido.

31.8 Isso significa: não há mais constelações individuais?

Claro que também existem constelações familiares individuais, se observarmos os acontecimentos com nosso intelecto. No entanto, ao mesmo tempo, todos os participantes ali presentes encontram, na pessoa que solicitou essa constelação, uma ressonância para seu próprio problema.

É possível que eles nem mesmo estejam cientes desse problema naquele momento. Por exemplo, pode ser que o problema venha de muitas vidas anteriores ou de uma vida futura. Um problema que vem de uma vida passada está ligado a inúmeras pessoas. E o conflito que surgiu lá atrás não foi resolvido até hoje. Ele pode se manifestar na vida atual, por exemplo, pelo fato de uma pessoa ser incapaz de se relacionar, ou ganhar muito dinheiro, mas perder tudo novamente, ou essa pessoa trabalhar muito, mas nunca ser proprietário de nada.

Outro exemplo seria uma pessoa com um estilo de vida saudável que, no entanto, está permanentemente doente. Por isso, eu também não escolho, mas sim deixo a escolha ser feita por meio de mim. É assim que, por meio de Familienstellen Original Hellinger® e com a aplicação de Cosmic Power®, entramos em planos onde o cliente não precisa formular verbalmente seu problema.

No campo dessas constelações, muitos problemas que permaneceram sem solução até então são, simultaneamente, revelados e resolvidos. Também acontece, muitas vezes, de, durante uma constelação, um representante mudar a pessoa que ele representava no início. Com quem estamos lidando exige a presença total e a ausência de intenção por parte do constelador.

Como um cliente reconhece o verdadeiro problema?

Somente quando a pessoa se expõe ao acontecimento, com todos os seus sentidos, e não se preocupa com ele. Quanto mais detalhada e esmiuçada for a descrição do problema, mais ela levará a uma fixação ou limitação. Isso “congelaria” a cura e a solução. Então, a tristeza, por exemplo, permanece sem solução. Quando se permite que a mente analise o problema, a força é perdida. Depois, vêm a tristeza e a porque a pessoa diz a si mesma que já fez e tentou de tudo, mas nada ajudou. Contudo, isso não pode ser completamente verdade. Se uma pessoa tivesse realmente feito tudo, então, teria havido uma solução. E muita coisa, às vezes até mesmo tudo, teria mudado.

31.9 Como alcançar o estado de silenciar a cabeça e o intelecto?

Uma possibilidade é, antes da constelação, perguntar ao cliente do que se trata. Sua questão deve ser resumida de maneira concisa e precisa, em duas frases. Então, o intelecto do cliente estará ocupado e sentir-se-á levado a sério. Eu mesma não escuto a questão, mas exponho-me ao acontecimento e à pessoa, com toda minha percepção. No dia a dia, é possível acalmar a mente e o intelecto de maneira rápida, ao deixar de defender as próprias convicções. Porque essa defensiva sempre significa luta e conflito, assim como a rejeição de algo que, até agora, era desconhecido. O conflito é, então, inevitável. Muitas vezes, lutamos pelas nossas próprias convicções, como se a vida dependesse disso e nós não percebemos que assumimos a convicção de uma outra pessoa. Ao mesmo tempo, tudo isso permanece superficial. Na verdade, não se trata de não ter convicções, mas sim de aceitar que a convicção do outro também vale e de rever, novamente, suas próprias convicções.

Isso me leva de volta ao começo: eu não devo intervir. Eu vejo as convicções da outra pessoa. Nesse ponto, estou impotente porque vejo que isso torna impossível a liberação do potencial. É apenas uma minúscula separação – e, ainda assim, é incrivelmente grande. A pessoa não consegue ultrapassar essa linha. Não posso forçá-la a isso.

31.10 Então, obtém-se informações do campo de Cosmic Power®. Qualquer pessoa pode acessar esse campo? Ele se comunica com todos?

Sim! É possível aprender a fazer conexão com os campos cósmicos por meio de Cosmic Power®. Esses planos estão sempre presentes. Isso requer apenas nossa consciência e atenção. Nele, não há espaço nem tempo, não há bem nem mal, não há certo nem errado. Todos nós já ouvimos ou lemos isso milhares de vezes, mas a experiência pessoal é algo completamente diferente. A fórmula é: faça-o, experimente-o e observe!

O uso de Cosmic Power® pode ser aprendido como se aprende a utilizar um instrumento. É de grande ajuda também se, interiormente, dissermos à outra pessoa: "*Você é linda. Eu te amo como você é, porque você é única. Você é aquilo que você é*". Então, ninguém mais precisa alcançar coisa alguma. Somos tomados por essa força, e ela nos conduz através do labirinto. Toda a ideia de "precisar fazer" e "dever fazer" afasta do sucesso, afasta do amor, afasta do campo no qual nós somos todos UM.

31.11 Como surgiu o nome Cosmic Power®?

Ele me foi transmitido, ou presenteado, de uma maneira especial.

Resumo

1. ***Como eu sei que minha constelação tomou o caminho correto?***
2. ***As consequências de constelações;***
3. ***Há consequências depois de toda constelação. O que é decisivo é se elas ajudam ou se têm o efeito contrário.***

Notas pessoais

Posfácio

A alma, que anima o corpo, está incorporada em um campo de força infinito, que dá a vida a tudo e pode curar tudo, sem nenhuma condição prévia. Todo ser humano, de alguma forma, tem a possibilidade de ter uma influência curativa sobre si mesmo e sobre os outros. Só precisamos capazes de sintonizar-nos, entregar-nos e desapegar-nos de nossas próprias crenças. Não são necessários talentos nem qualidades extraordinárias, apenas uma decisão interior. Todo o restante acontece sem palavras e abrangendo a tudo.

Aparentemente, não pode ser aprendido, mas qualquer pessoa que sentir o chamado interior e segui-lo poderá se conectar a Cosmic Power®, por meio da presença e da prática. Poderá aprender um pouco mais, todos os dias, cada vez mais profundamente, vivenciando-o e praticando-o. Tudo está aí para todos.

Existe um sistema contábil perfeito no cosmos. Nada do que você já pensou, disse ou fez desapareceu.

Preste atenção aos seus sentimentos, pois eles se tornam seus pensamentos.
Preste atenção aos seus pensamentos, pois eles se tornam palavras.
Preste atenção às suas palavras, porque elas se tornam ações.
Preste atenção às suas ações, porque elas se tornam hábitos.
Preste atenção aos seus hábitos, porque eles se tornam seu caráter.
Preste atenção ao seu caráter, porque ele se torna seu destino.

Outros títulos

Livros de Sophie Hellinger em português

Tagore Editora (Brasília)

A Própria Felicidade: fundamentos para a constelação familiar - v.1 (2024)

A Própria Felicidade: fundamentos para a constelação familiar - v.2 (2024)

Cosmic Power, Constelação Familiar & Coronavirus (2021)

Constelação Familiar e Ciência (2022)

In memoriam Bert Hellinger (2022)

Mamãe, sempre a mamãe (2024)

Amor hoje. Sobre o sucesso do relacionamento (2023)

Sexualidade hoje (2023)

Ser bem-sucedido, continuar bem-sucedido (2023)

Reflexões (2023)

Livros de Bert Hellinger em português

Cultrix Editora (São Paulo)

*Ordens do Amor (*2003)

No centro sentimos leveza (2004

A fonte não precisa perguntar pelo caminho (2005

Editora Atman (Patos de Minas)

Ordens da Ajuda (2005

O essencial é simples (2005

O amor à segunda vista (2006

Um lugar para os excluídos (2006

Liberados somos concluídos (2006

A paz começa na alma (2006)

O outro jeito de falar: um curso para pessoas com distúrbios da fala e seus ajudantes (2007)

Leis sistêmicas na Assessoria Empresarial (2008)

O Amor do Espírito na Hellinger sciencia® (2009)

Pensamentos a caminho (2009)

Pensamentos sobre Deus: suas raízes e seus efeitos (2010)

Êxito na vida, êxito na profissão (2011)

Histórias de sucesso na empresa e no trabalho (2014)

As igrejas e seu Deus (2015)

Olhando para a alma das crianças (2016)

Viagens interiores (2018)

A Cura (2021)

Editora Cultrix (São Paulo)

Histórias de amor (2007)

Constelações familiares. O reconhecimento das ordens do amor. Conversas sobre emaranhamentos e soluções (2011)

Contato

Website para seminários
https://brasil.hellinger.com/

Website oficial da Hellinger em português:
https://www.hellinger.com/pt/